D1256677

Le mystère de l'érable jaune

Gilles Jourdan enquête

Du même auteur

aux éditions du Boréal

Contes du chat gris, roman, 1994
Nouveaux contes du chat gris, roman, 1995
Le Chat gris raconte, roman, 1996
Le Monstre de Saint-Pâcome, roman, 1997
Sur la piste des arénicoles, roman, 1998
La Nuit des nûtons, roman, 1998
Le Géant à moto avec des jumelles
et un lance-flammes, roman, 2002
Le Baiser de la sangsue, roman, 2005

Le mystère de l'érable jaune

Gilles Jourdan enquête

Un roman de

Jean-Pierre Davidts

illustré par
Normand Cousineau

case postale 36563 — 598, rue Victoria
Saint-Lambert (Québec) J4P 3S8

Soulières éditeur remercie le Conseil des Arts du Canada et la SODEC de l'aide accordée à son programme de publication et reconnaît l'aide financière du gouvernement du Canada par l'entremise du Programme d'Aide au Développement de l'Industrie de l'Édition (PADIÉ) pour ses activités d'édition. Soulières éditeur bénéficie également du Programme de crédit d'impôt pour l'édition de livres – Gestion Sodec – du gouvernement du Québec.

Dépôt légal: 2008
Bibliothèque nationale du Canada
Bibliothèque nationale du Québec

Données de catalogage avant publication (Canada)

Davidts, Jean-Pierre

Le mystère de l'érable jaune

(Collection Chat de gouttière ; 32)

Pour les jeunes de 9 ans et plus.

ISBN 978-2-89607-081-7

I. Cousineau, Normand. II. Titre. III. Collection: Chat de gouttière ; 32.

PS8557.A818M97 2008 jC843'.54 C2008-940643-5
PS9557.A818M97 2008

Illustration de la couverture
et illustrations intérieures :
Normand Cousineau

Conception graphique de la couverture :
Annie Pencrec'h

ISBN 978-2-89607-081-7

58832

À la mémoire de Maurice Tillieux,
père de l'ineffable Croûton,
inspecteur de sot métier.

PROLOGUE

L'assassin saisit son arme. D'un geste sûr, il en fait pénétrer la lame aussi aiguisée qu'un rasoir dans les chairs, y creusant un fin sillon d'où jaillit aussitôt le fluide vital. Une incision bien nette, sans bavure. Un court instant, il contemple la saillie meurtrière du regard attendri de l'artiste fier de son œuvre. Muette, la victime n'a pas bronché. Elle ne survivra pas longtemps. D'un regard circulaire, le tueur s'assure que personne n'a été témoin de son crime puis il se fond silencieusement dans la nuit, abandonnant sa proie agonisante sur le trottoir. Ce n'est que la première. D'autres bientôt la suivront.

Salut. Je m'appelle Gilles. Gilles Jourdan. Comme le héros de la bande dessinée de Maurice Tillieux, à la différence que lui, son prénom s'écrit Gil.

Cet été, il m'est arrivé une bien étrange aventure.

Tout a débuté le vingt et un juillet.

Contrairement à ma mère, qui est née en Belgique, je suis un Québécois « pure laine », comme le dit parfois ma grand-mère, un soupçon de tristesse dans la voix. Quand elle fait cette réflexion, je sens qu'elle aimerait bien que je sois un petit peu plus Belge et un petit peu moins Québécois. Sans doute est-ce aussi pour cela qu'elle me demande de l'accompagner à la fête nationale belge tous les ans. En effet, le vingt et un juillet, le consulat de Belgique organise une kermesse – c'est le nom qu'on donne aux fêtes populaires là-bas. Le consul nous y accueille en personne. C'est un homme assez âgé, rond comme une barrique et dont le trait le plus frappant est une énorme moustache en guidon de vélo. Secrètement amoureux de ma grand-mère, son plus cher désir serait de l'embrasser. Ce qu'il ignore, c'est que Mamie déteste les moustachus. En attendant que son rêve se réalise, le consul s'empare de ma grand-mère dès

son arrivée. Il la tient par le bras et ne la lâche plus de la soirée. Une vraie pieuvre ! Une pieuvre à moustache.

Cette année, comme tous les vingt et un juillet, j'emmène donc Mamie à la kermesse et, comme toujours, au bout d'une heure, j'ai ma dose. Les valses et les flonflons, les petits fours et les verres de « ponche », les bisous mouillés et les compliments, c'est bien beau mais faut pas en abuser. Alors je vais voir Mamie et je lui dis :

— Faudrait que j'y aille maintenant, Mamie.

— Tu ne veux pas rester encore un peu ? demande-t-elle, sachant d'avance la réponse.

— Maman doit avoir besoin de moi.

— Attends, je te raccompagne.

— Ce n'est pas la peine. Reste, toi. Je rentrerai bien tout seul.

— Tu es sûr ?

— Oui, oui.

— Bon. Alors, on s'embrasse et on se rappelle.

La pieuvre à moustache lâche le bras de ma grand-mère juste le temps de me serrer la main. Son sourire retrousse les pointes de ses moustaches jusqu'aux oreilles. J'abandonne Mamie à son courtisan et je reprends le chemin de la maison.

Du consulat, il me faut environ trois quarts d'heure pour rentrer, avec le métro. Maman et moi vivons dans un quartier tranquille de Marieville. Une belle artère bordée d'arbres de chaque côté, rue des Sycomores. Un jour, j'ai cherché dans le dictionnaire ce que signifiait « sycomore ». Je croyais qu'il s'agissait d'un nom propre. Peut-être celui d'une famille célèbre, d'une tribu indienne ou d'une bataille historique, mais non, sycomore n'est qu'un nom d'arbre. Le plus drôle, c'est que, dans la rue, des sycomores il n'y en a aucun. Que des érables.

Donc, ce jour-là, en tournant le coin de la rue des Sassafras (un autre arbre exotique), à l'angle de la nôtre, j'ai l'impression que quelque chose cloche. Un peu comme lorsqu'on entre dans une pièce qu'on connaît bien et qu'un objet n'est plus à sa place habituelle. L'endroit paraît différent sans qu'on arrive à dire pourquoi. J'avais exactement la même impression.

Je reste bien cinq minutes à contempler les deux rangées d'arbres sans parvenir à m'en débarrasser. Puis, je me fais une raison et je poursuis jusqu'à la maison.

Maman et moi habitons une maison en pierre grise à deux étages. Le rez-de-chaussée a été converti en salle d'attente où maman reçoit ses clients. Je m'explique. Maman est vétérinaire, mais pas une vétérinaire comme les autres. S'il lui arrive de soigner des chiens et des chats à l'occasion, la plupart du temps, elle s'occupe d'animaux moins communs. Dans les cages et les aquariums du sous-sol se trouvent toujours un boa ou un alligator qui sommeille, une civette ou un furet qui fait les cent pas, voire une mygale ou une tarentule tapie dans un coin.

C'est fou ce que les gens choisissent comme animal de compagnie de nos jours. Le plus bizarre, le mieux c'est. Alors, dès qu'un problème surgit – que la bête grossit, remue un peu trop ou se met à faire du bruit la nuit – hop ! ils viennent voir maman pour qu'elle les en débarrasse en la confiant à un zoo.

C'est comme ça que j'ai rencontré Libellule.

Libellule est mon meilleur copain. C'est aussi un porc vietnamien. De la taille d'un petit chien, il en a l'intelligence et le flair. Faites-lui sentir un objet, cachez-le quelque part et deux minutes plus tard, il l'aura retrouvé. Même si vous l'avez enterré.

Outre son élégante robe noir et blanc, Libellule possède un fichu caractère. Un caractère de cochon, quoi. Quand quelqu'un lui déplaît, attention ! Ses petites dents perforent tout.

Arrivé à destination, j'entre par la porte de derrière qui mène directement au sous-sol. Maman n'y est pas. Sans doute donne-t-elle une consultation. Je salue les pensionnaires du moment – une mouffette neurasthénique et un raton laveur souffrant de constipation – puis je range un peu. Je termine à peine que maman arrive, une boule de quille brune dans les bras.

— Qu'est-ce que c'est ? dis-je.

— Un pangolin. Il est tombé dans l'escalier, le pauvre. Je crois qu'il a une patte cassée, mais impossible d'en être sûre tant qu'il est en rogne. Déjà revenu du consulat ?

— J'ai laissé Mamie à son moustachu.

— Ah ! Et toi ? Tu n'as trouvé personne de ton goût ?

— Personne en dessous de l'âge de la retraite.

Elle s'esclaffe et dépose le pangolin dans une cage.

— Il ne me reste qu'une personne. Si tu veux, après, nous pourrions aller souper au resto et peut-être aller voir un film. Ça te changerait des douairières.

— Vendu !

Le commissaire Lemègre s'est levé du mauvais pied. Précisons que, peu importe le pied qu'il prend pour se lever, le commissaire Lemègre utilise toujours le mauvais. De mémoire d'homme, jamais on ne l'a vu sourire. On pourrait affirmer sans trop se tromper que le commissaire Lemègre est grincheux de nature. Ainsi, il enrage de ne pas voir le soleil quand il pleut, mais dès que le beau temps ressurgit, il peste contre la chaleur, qu'il trouve insupportable. Ce qui ne signifie pas qu'il préfère le froid. Le commissaire Lemègre déteste s'alourdir en enfilant un tas de vêtements. Il n'a cependant jamais songé à se convertir au nudisme, le moindre courant d'air lui enrhumant le cerveau. Bref, le commissaire Lemègre est le roi des bougons et celui qui parviendra à le débougonner un jour n'est pas encore né.

Ce vingt-deux juillet, tout va mal pour le commissaire : il fait trop chaud, le soleil aveugle, l'air empeste le gaz des pots d'échappement, sa cravate l'étrangle, ses chaussures lui compriment les orteils, le jus d'orange matinal lui a acidifié l'estomac et une terrible démangeaison l'irrite à un endroit qu'il ne peut décemment gratter en public (sûrement des vers, se dit-il, car le commissaire Lemègre est aussi un hypocondriaque affirmé – il imagine, avec une facilité déconcertante, attraper toutes les maladies dont on a le malheur de lui parler).

Ce vingt-deux juillet donc, le commissaire Lemègre grimpe l'escalier qui conduit à son bureau en grommelant un bonjour inintelligible à ceux qu'il croise. Avant de pénétrer dans la pièce d'où il dirige le poste de police d'une main de fer dans un gant d'acier, ses yeux se posent sur le bureau de l'inspecteur Grolar, contigu au sien. Il promène un regard dégoûté sur les ronds de tasses de chocolat chaud, les taches de graisse, les emballages de friandises, les miettes de croustilles… Pour lui, les rapports de l'inspecteur Grolar sont comme autant de clous pour le Christ sur sa croix : une souffrance. Des empreintes de doigts courent sur chaque page, du sucre cimente les feuilles ensemble ou la graisse rend le papier translucide, quand il n'est pas décoloré par une boisson gazeuse qui s'est malencontreusement renversée dessus. L'inspecteur Grolar attire la saleté tel un aimant. Il suffit qu'il enfile une chemise

neuve, prenne une feuille blanche, serre des mains propres pour qu'aussitôt elles ne le soient plus.

On l'aura deviné, l'inspecteur Grolar horripile le commissaire Lemègre. Ce dernier ignore pourquoi. C'est viscéral. Cette antipathie coule dans son sang.

Sans doute est-ce pourquoi ce vingt-deux juillet, le commissaire Lemègre prend une décision lourde de conséquences : il débarrassera pour de bon le service de police de Marieville de l'inspecteur Grolar.

Tous les jours, j'emmène Libellule prendre l'air. Si les gens du quartier se sont habitués à me voir me promener avec un cochon, je dois néanmoins me méfier. Plus d'une fois une voiture en a embouti une autre quand son conducteur s'est laissé distraire par le spectacle curieux de ce cochon qu'on tient en laisse tel un vulgaire cabot. Pour l'éviter, je me contente le plus souvent de faire le tour du pâté de maisons.

En tournant le coin, la drôle d'impression que j'avais eue la veille en rentrant du consulat revient me turlupiner. Je laisse Libellule renifler à sa guise sur le trottoir et, après m'être assuré qu'il n'y

a aucune voiture en vue, je gagne le milieu de la chaussée afin d'avoir une meilleure perspective. Cette fois, ce qui cloche me saute immédiatement aux yeux : dans l'enfilade d'arbres s'en trouve un qui se détache du lot par la couleur. Au lieu d'être sombres, d'un vert presque noir, comme celles des autres érables qui bordent la rue, ses feuilles sont nettement plus pâles, d'un vert tirant sur le jaune. Je ne l'avais jamais remarqué avant.

Désormais, je le sais, chaque fois que je tournerai le coin, mes yeux se fixeront sur cet arbre, tel un peintre qui ne peut s'empêcher de regarder la tache dont il est le seul à connaître l'emplacement sur un mur.

Peut-être s'agit-il d'une variété à feuillage clair, plantée à la suite d'une erreur des services d'urbanisme. Je me rends toutefois vite compte que ce n'est pas le cas, car le feuillage ne cesse de pâlir. Le lendemain, il est carrément jaune.

— Il doit être malade, m'explique maman en désinfectant les oreilles d'un lapin angora.

— Malade ?

— Bien sûr. Les plantes aussi ont des maladies.

Intrigué, je me rends jusque-là pour vérifier. À force, j'ai appris à reconnaître les symptômes du mal chez les animaux qui séjournent à la maison : regard éteint, poil terne, état agité ou amorphe, selles anormales, plaintes. Mais chez un arbre ?

Je l'examine attentivement, en fais plusieurs fois le tour. Hormis les feuilles d'un jaune à peine verdâtre, il semble pourtant en bonne santé.

Le lendemain, les feuilles tombent. Bientôt, plus une seule ne s'accrochera aux branches. Elles traînent, éparpillées autour du tronc. Cet arbre nu parmi ses congénères au feuillage bien fourni me fait penser à un squelette. C'est alors que j'en remarque un deuxième dont les feuilles commencent elles aussi à pâlir.

— Asseyez-vous, Grolar, si la chose est réalisable.

Le commissaire Lemègre regarde son subordonné tenter de caser ses cent vingt kilos entre les bras du fauteuil posé devant son bureau. Autant faire entrer une cheville ronde dans un trou carré. En désespoir de cause, l'inspecteur opte pour une chaise à roulettes dont le siège s'abat brutalement de cinq centimètres sous le poids.

— Comment supportez-vous d'être aussi gros ? ne peut s'empêcher de commenter le commissaire.

— Je n'y peux rien, chef, c'est ma glande thyroïde. Indubitablement. Elle a des ratés.

— Vous pourriez au moins faire un effort. Je ne sais pas, moi. Suivre un régime, par exemple.

— J'ai essayé. C'est inutile. L'air que je respire suffit à me faire engraisser. Et puis, j'ai toujours faim. Impossible de me rassasier.

— Passons. C'est vous qui êtes chargé de l'enquête sur le pendu de la rue Monseigneur-Lortie, je crois ?

— Indubitablement.

— Vos collègues sont persuadés qu'il s'agit d'un suicide. Au dire des proches, le défunt était déprimé peu avant le drame et on a retrouvé une lettre écrite de sa main dans laquelle il demande qu'on le pardonne pour son geste. Pourtant, vous soutenez qu'il s'agit d'un crime maquillé.

— Il y avait du sang sur la corde. La lettre portait aussi une empreinte de doigt bien nette. L'assassin a indubitablement contraint la victime à l'écrire sous la menace. Cette dernière l'aura blessé en se débattant, d'où la tache de sang. Il s'agit indubitablement d'un acte criminel.

Le front du commissaire se plisse et ses sourcils s'infléchissent en accent circonflexe.

— Les résultats des analyses sont rentrés ce matin. Vous serez peut-être déçu d'apprendre que le sang trouvé sur la corde n'est en fait que de la gelée de groseille. Heureusement, le propriétaire de la mystérieuse empreinte est fiché à la police. Il s'agit d'un dénommé Grolar, Jules, policier de son état. Ce nom vous dit quelque chose ? Inspecteur, qu'étiez-vous en train de manger quand vous avez examiné les lieux du « crime »?

— Euh... je ne m'en souviens pas, chef.

— Vos collègues ont meilleure mémoire. Vous dévoriez un beigne à la confiture. Le seul acte criminel dans cette affaire, Grolar, c'est votre incommensurable négligence. La manière dont vous vous y êtes pris pour réussir l'examen d'inspecteur et échouer dans ma brigade demeure pour moi un mystère, mais je peux vous assurer une chose, Grolar, cette bourde est la dernière. Dorénavant, vous serez affecté au classement. Et je vous préviens : à la première tache que je trouve dans un dossier, si minuscule soit-elle, je vous saque. Vous entendez, Grolar ? À présent, sortez. J'ai le foie patraque rien qu'à vous regarder.

Le feuillage du deuxième érable a jauni aussi vite que le premier. S'agit-il d'une maladie infectieuse ? Dans ce cas, comment se propage-t-elle ? Les arbres atteints ne sont même pas voisins. Un insecte ? J'aimerais poser la question à mon prof de biologie. Malheureusement, ce sont les vacances et j'ignore où il habite.

La curiosité me pousse à aller voir l'arbre malade. Cette fois, je prends mon temps. Je retourne les feuilles mortes qui jonchent le trottoir. Rien d'anormal, hormis leur couleur jaune. Aucune trace d'insecte : ni piqûres ni taches, pas plus d'œufs que de larves. Ensuite, j'examine le tronc. L'écorce est lisse et solide, sans bourrelets, chancres ni pustules.

— C'est là-haut qu'est le problème, déclare soudain quelqu'un derrière moi.

Je me retourne et découvre le père Ubu.

Le père Ubu habite au numéro seize, à deux portes de chez nous. Nous nous croisons à l'occasion dans la rue, quand je promène Libellule. Alors, nous nous saluons mutuellement et échangeons quelques mots.

— Regarde où commencent les branches maîtresses, poursuit-il en indiquant la partie supérieure du tronc.

Je m'approche pour mieux voir. Et effectivement, à l'endroit désigné, là où prennent naissance les deux branches principales, une bande plus claire se détache de l'écorce grisâtre. Elle mesure bien une dizaine de centimètres de largeur. Je ne l'avais pas remarquée avant à cause de l'ombre projetée par le feuillage.

— Le cercle ?

— Exactement. La sève n'arrive plus aux feuilles. C'est pour ça qu'elles jaunissent puis qu'elles tombent.

Bizarre. L'autre arbre présente-t-il la même anomalie ?

— Si la blessure était plus petite, elle cicatriserait et la sève se remettrait à circuler, mais elle est trop grande. De toute façon, maintenant, c'est trop tard. L'arbre est condamné. Il ne restera bientôt plus qu'à le couper et à le remplacer. Celui qui a fait ça n'a pas manqué son coup.

Je le dévisage, interloqué.

— Celui qui a fait ça ? Que voulez-vous dire ?

— Cette blessure n'est pas naturelle. Il y a un tueur d'arbres dans le quartier.

— Quelqu'un tue les arbres ? Allons donc, c'est absurde. Pour quelle raison tuerait-on un arbre ? raisonne maman en préparant une pâtée médicamenteuse pour une loutre appelée Notre-Dame, qui a le foie en piteux état.

Je lui répète ce qu'a dit le père Ubu.

— Cela n'a aucun sens, tranche-t-elle. Pour moi, monsieur Ubu t'a conté une blague.

Je n'ose la contredire. Pourtant, il avait l'air de savoir de quoi il parlait, le père Ubu.

— Je vais faire un tour avec Libellule.

— Ne t'éloigne pas. J'ai pensé que nous irions pique-niquer avec Mamie cet après-midi.

— D'accord.

Libellule arpente le jardin, nez au ras du sol, en train de chercher Dieu sait quoi. J'attache la laisse à son collier et nous partons.

Je décide de remonter la rue et d'inspecter les arbres un à un discrètement afin de ne pas éveiller l'attention du tueur, au cas où il surveillerait les environs. Libellule me servira de « couverture » (j'ai lu ce mot-là dans un roman policier).

Parcourir la rue dans les deux sens ne me prend guère qu'une demi-heure car, grâce au père Ubu, je sais exactement quoi chercher et où.

La rue compte soixante érables. Trente de chaque côté avec les deux dont les feuilles se sont ramassées sur le trottoir. J'ai beau regarder à l'endroit où le tronc se ramifie, aucun autre ne porte de blessure en forme d'anneau. Finalement, maman a peut-être raison en affirmant que le père Ubu m'a tiré la pipe.

À mon retour, je trouve ma mère en train de préparer le panier de provisions. Je l'aide à charger le matériel dans la fourgonnette et nous partons récupérer Mamie, direction le bois de la Combe, une vieille carrière que la ville a transformée en parc écologique et où la nature a repris ses droits. On peut y faire de la natation, de l'escalade et même un peu de spéléologie. Nous y passons un après-midi formidable.

De retour vers dix-sept heures, je donne un coup de main à maman pour nourrir les bêtes avant de m'occuper de Libellule, qui trépigne dans la cuisine. S'il n'en tenait qu'à lui, ce cochon passerait sa vie dehors.

Je m'assieds sur le perron pendant que Libellule fouine à gauche et à droite.

Un bruit strident de freins qu'on malmène attire mon attention. Deux voitures ont failli s'emboutir au croisement.

Je n'ai tourné la tête qu'un instant, mais il n'en a pas fallu davantage à Libellule pour prendre la poudre d'escampette. Heureusement, il est si curieux qu'il n'a jamais le temps d'aller très loin.

Je le retrouve deux maisons plus loin, jouant avec un bout de carton. Il en a déjà rongé le tiers quand je lui attrape le collier. C'est seulement à ce moment que je constate mon erreur. Ce que j'ai d'abord pris pour du carton est en réalité de l'écorce. Un anneau bien net, comme découpé au couteau.

L'inspecteur Grolar déménage.

— Vous serez mieux en bas, a déclaré le commissaire Lemègre.

« En bas », cela veut dire la « Tombe », les archives. Une longue pièce poussiéreuse aménagée au sous-sol. Un mur entier garni d'étagères sur lesquelles s'entassent les pièces à conviction et de classeurs où dorment les dossiers des affaires élucidées ou irrésolues. Dans le milieu, on l'appelle le « mur des lamentations ».

Le nouveau bureau de l'inspecteur Grolar barre l'entrée de la Tombe, interdisant à quiconque d'y pénétrer sans son autorisation.

L'inspecteur vide son bureau du troisième pour en transporter le contenu à la cave. À dire vrai, son bureau lui tient surtout lieu de garde-manger. Les biscuits sucrés et salés, les sachets de soupe et de chocolat instantanés, les bonbons, les tablettes « nutritives » et les fruits secs, les petits pots de confiture et de beurre d'arachide filent dans une boîte avec deux ou trois stylos et crayons avant d'échouer dans un meuble identique à celui qu'ils viennent de quitter, quatre étages plus bas.

Au fond, ce changement déplaît moins qu'on pourrait le croire à l'inspecteur. En bas, il sera plus tranquille et on ne lui demandera pas de rédiger d'ennuyeux rapports à tout bout de champ. Évidemment, il y a des désagréments. D'un naturel curieux, l'inspecteur aimait bien fouiner sur la scène d'un crime. Les mystères l'excitent et l'excitation lui ouvre l'appétit – appétit qui se referme rarement, d'ailleurs. C'est pourquoi il savait déjà, lorsqu'il était enfant, qu'il deviendrait un jour inspecteur de police.

Les jours passent et l'inspecteur Grolar s'adapte à ses nouvelles fonctions. Quand l'ennui le travaille, il ouvre le tiroir d'un classeur au hasard et en sort le dossier d'une affaire quelconque. Ainsi, il peut reprendre l'enquête du début à la fin. Plus besoin d'attendre pour connaître la clé de l'énigme. C'est un peu comme lire un roman policier, en plus laconique. Et l'inspecteur Grolar adore lire.

En face de la Tombe se trouve le « Frigo ». La morgue, quoi. L'endroit où le médecin légiste examine le corps des personnes mortes de manière violente ou suspecte, en vue de trouver des indices qui l'éclaireront sur les raisons du décès.

Ce travail en rebuterait plus d'un, mais pas le D^r McAbbey.

C'est en pratiquant sa première autopsie, quand il étudiait la médecine, que le D^r McAbbey a découvert sa véritable vocation : il préfère débiter les morts que rafistoler les vivants. Rien ne lui fait plus plaisir que de prendre son bistouri et d'ouvrir un ventre pour aller regarder à l'intérieur. C'est un peu comme une chasse au trésor. On ne sait jamais ce qu'on va trouver. À partir du contenu de l'estomac, il est facile de savoir ce que la victime a mangé avant de mourir, donc où elle était et, ainsi, remonter graduellement la piste, parfois même jusqu'au meurtrier. La crasse sous les ongles, les poils et les pellicules qui traînent par-ci par-là, sur les vêtements ou ailleurs, révèlent aussi beaucoup de choses, mais pas autant que les aliments à moitié digérés. Enfin, il y a les traces sur le corps : les meurtrissures, les lacérations, les ecchymoses, les plaies, les abrasions. Aucune ne se ressemble et, si identifier avec précision ce qui les a causées n'est pas toujours commode, avec l'expérience, la tâche devient plus aisée. Or, le Dr McAbbey a beaucoup d'expérience. On le consulte de partout pour obtenir son avis.

Solitaire, le Dr McAbbey est un homme d'un naturel peu loquace. Il fréquente rarement ses semblables, qu'il n'apprécie guère, en général. Peut-être cela explique-t-il pourquoi il adore les couper en morceaux. Le Dr McAbbey se plaît à dire qu'il est un aruspice des temps modernes. Au lieu de consulter les entrailles des animaux pour y lire l'avenir comme au temps des Romains, il fouille le ventre de ses congénères pour découvrir leur passé.

Il faut dire qu'à l'inverse des malades, les cadavres se plaignent rarement, et le Dr McAbbey a horreur des jérémiades.

C'est pourquoi il rêve souvent qu'il découpe le corps du commissaire Lemègre, cet éternel mécontent qui rouspète comme il respire. Toutefois, vu sa maigreur et son teint jaunâtre, il n'y a sûrement rien de bien intéressant à lire dans son estomac. Que de la bile, de l'acide, du fiel. Quelqu'un qui ne mange que des biscottes sans sel et boit du café noir, quel ennui pour un légiste ! Le ventre de l'inspecteur Grolar, en revanche, voilà qui ferait un roman feuilleton ! Que dis-je, une bibliothèque entière !

En quelque sorte, c'est donc le plaisir de lire et un manque d'affinités avec le commissaire Lemègre (les ennemis de mes ennemis sont mes amis) qui rapprochent l'inspecteur Grolar du Dr McAbbey. Bientôt, les deux compères deviennent inséparables. On les voit constamment ensemble au sous-sol du poste de police. Quand l'un ne rend pas visite à l'autre à la Tombe, c'est le second qui va au Frigo jaser un brin avec le premier.

— Que faites-vous ? interroge l'inspecteur Grolar entre deux bouchées de tartine à la confiture.

— Je prélève le foie pour les analyses toxicologiques, répond le Dr McAbbey en extirpant d'un corps une masse spon-

gieuse et brunâtre qu'il dépose sur une balance. Les résultats diront si la victime a été empoisonnée.

— Il n'est pas bien joli, ce foie.

— Si vous ne voulez pas que le vôtre se retrouve dans le même état, le taquine le docteur, je réduirais ma consommation de chocolat.

— En vous regardant travailler, rétorque l'inspecteur, je me dis qu'en fin de compte la médecine n'est pas si bonne que ça pour la santé.

Et les deux de rire de bon cœur.

Nous voici le vingt-huit juillet. Près d'une semaine s'est écoulée depuis la mutation de l'inspecteur à la Tombe quand on le prie de se présenter au bureau du commissaire.

Grand et sec comme une trique, le commissaire Lemègre n'a pratiquement que la peau sur les os. On dirait un squelette ambulant. Il doit cette physionomie à son estomac. Cet organe est si capricieux qu'il ne tolère que les aliments les plus simples : bouillons, légumes crus, fruits, biscottes. Le commissaire Lemègre donnerait bien un million pour manger un homard thermidor, un gratin dauphinois et une charlotte au chocolat sans que son estomac se rebiffe. Au fond, c'est un faux maigre qui jalouse les gros. Ses cheveux poivre et sel, coupés ras à la militaire, accentuent son air rébarbatif. Son seul vice : le café. Il en avale des quantités astronomiques. Bien noir et serré. De la dynamite liquide.

Quand l'inspecteur arrive dans son bureau, le commissaire ne lui donne même pas la chance de s'asseoir.

— Grolar, jappe-t-il, j'ai une enquête à vous confier.

Des points d'interrogation s'allument dans les yeux de l'inspecteur.

— À moi ?

— Quelque chose dans vos cordes. Où vous ne risquez pas de tout cafouiller en posant les doigts partout. Bon, je vous fais le topo. En l'espace de sept jours, trois érables sont décédés rue des Sycomores. Il y a eu des plaintes. Le service des parcs s'est rendu sur place pour se faire une idée. Les arbres ne sont pas malades. On croit plutôt à l'œuvre d'un mauvais plaisant. Couper les arbres et les remplacer coûte cher à la municipalité. Le maire m'a demandé de m'en occuper. J'ai d'abord refusé. En quoi des arbres morts concernent-ils la brigade criminelle ? Pourquoi pas les chiens écrasés ? Mais il a insisté. Sa sœur habite rue des Sycomores. Un des arbres poussait devant chez elle. Alors, j'ai pensé à vous. Je me suis dit que vous ne détesteriez pas sortir un peu de la Tombe. Prendre l'air quoi.

— Indubitablement. Merci, chef.

— Ne me remerciez pas. Je ne vous aime pas, Grolar. Je ne vous ai jamais aimé. J'ignore comment vous êtes entré dans la police et je ne veux pas le savoir. Pour être franc, je ne désire qu'une chose : ne plus vous avoir devant les yeux. Cette enquête est votre chant du cygne. Si vous n'élucidez pas l'affaire, je vous envoie diriger la circulation au coin du boulevard Jolimont et de l'avenue Montrésor. Les agents n'y font pas long feu, paraît-il. Si vous vous faites happer par un camion, ce sera toujours ça d'économisé pour la municipalité.

Trois érables ont péri depuis le début de cette histoire et un quatrième se meurt : celui devant chez nous. Alors là, rien ne va plus ! Cette fois, le tueur exagère.

Je l'aimais bien moi, cet arbre. L'été, son ombre gardait le porche au frais ; l'automne, ses feuilles donnaient de la couleur au paysage ; l'hiver, il coupait le vent qui s'engouffre en rafale dans la rue et le printemps, les oiseaux venaient y chanter au retour de leur migration. En plus, il avait du caractère. Une branche plus basse me permettait d'en escalader facilement le tronc un peu tordu. Cet arbre, je l'aimais vraiment. Alors le tueur n'a qu'à bien se tenir. Je vais tout mettre en œuvre pour le démasquer et faire en sorte qu'il paie pour ses crimes. Après tout, je ne m'appelle pas Gilles Jourdan pour rien !

Première étape. Tel un vrai détective, je consigne les faits dans un calepin : nom de la victime (un numéro, dans ce cas-ci), date et lieu du crime. Voici ce que ça donne.

Victime	Date	Lieu
Un	21 juillet	n° 4
Deux	24 juillet	n° 11
Trois	28 juillet	n° 31
Quatre	30 juillet	n° 23

La date est celle où les feuilles jaunissent. De fait, le crime a sans doute été commis plus tôt. J'ignore combien de temps s'écoule entre le moment où le tueur tranche l'écorce et celui où les feuilles perdent leur couleur, mais cela ne doit pas être très long. Peut-être un jour ou deux. J'imagine que cela varie avec l'arbre, son âge, sa résistance et d'autres facteurs que j'ignore. Néanmoins, les érables ayant le même âge (ils ont été plantés à la même époque) et poussant dans des conditions analogues (la même rue), je suppose qu'ils réagissent tous un peu de la même façon.

En examinant le tableau, une chose me saute aux yeux : quelques jours à peine séparent chaque crime. Nous sommes le deux août. L'assassin devrait donc se manifester bientôt de nouveau. Si personne ne l'a encore remarqué, c'est qu'il agit la nuit. Cette fois, cependant, cela ne se passera pas aussi facilement pour lui. Je vais m'arranger pour le surprendre en flagrant délit.

La rue des Sycomores n'est guère éloignée du poste de police. À peine un quart d'heure de marche. Néanmoins, l'inspecteur Grolar met plus d'une heure pour s'y rendre. Et pour cause : il s'arrête d'abord au bar laitier au *Pis à lait* savourer un cornet de crème glacée à deux boules – chocolat et caramel – puis au casse-croûte *Chez Toni*, trois coins de rue plus loin, afin de siroter un Brio, boisson gazeuse italienne qui goûte la rhubarbe ; évidemment, il ne peut résister à l'envie d'un sac de pistaches à *La coque de noix*, petit magasin d'aliments naturels sis à l'angle de la rue des Micocouliers et de l'avenue des Ormes.

C'est donc en écalant ses noix qu'il arrive finalement rue des Sycomores.

L'inspecteur reste un moment sur le trottoir à contempler les lieux avant de gagner le milieu de la chaussée pour se faire une meilleure idée de l'endroit. D'où il se trouve, les deux rangées d'arbres, presque alignés au cordeau, semblent se rejoindre au bout du couloir que forme la rue. La perspective est cependant brisée trois fois, là où la ville n'a pas encore coupé les arbres morts. Un quatrième s'ajoutera bientôt à la liste, ainsi qu'en témoigne un tas de feuilles jaunies sur le sol. De sa poche, l'inspecteur sort un carnet dont il soulève la couverture pour y jeter des notes. Avec le sac de pistaches dans une main, l'opération est malaisée. Un coup de klaxon rageur le fait sursauter et une partie des noix s'envole pour atterrir sur le bitume.

— Alors Toto, tu prends racine ? lance l'automobiliste par la fenêtre de sa voiture avant de repartir sur les chapeaux de roues.

L'inspecteur regagne sagement le trottoir et décide d'aller voir l'arbre qui agonise.

La plante malade se trouve en face du numéro vingt-trois, une maison semblable à la majorité de celles qui bordent la rue mais avec, sur la façade, une plaque en bronze patiné indiquant le bureau d'un vétérinaire.

Revenant à l'objet de son enquête, l'inspecteur examine l'arbre en dégustant ses pistaches. Ses cours de criminologie lui reviennent en mémoire. Trois éléments concourent à élucider un crime et à démasquer le coupable : le mobile (ce qui motive le criminel), le moyen et l'occasion. Le pre-

mier est le plus difficile à découvrir. Une fois trouvé le mobile, il faut rarement beaucoup de temps pour dénicher le coupable. Malheureusement, l'inspecteur a beau se creuser la cervelle, aucun motif pour lequel on pourrait vouloir tuer un arbre ne lui vient à l'esprit. Existe-t-il des « arbrophobes », des personnes qui détestent assez les arbres pour les détruire ? Le moyen lui paraît tout aussi mystérieux. Comment tue-t-on un arbre ? L'inspecteur n'a jamais étudié la botanique. Le Dr McAbbey en saura peut-être davantage. Après tout, la physiologie végétale et la physiologie humaine doivent avoir des points en commun. À cette fin, l'inspecteur ramasse deux ou trois feuilles qu'il glisse dans son carnet. Reste l'occasion, le moment. Puisque personne ne l'a vu, l'assassin opère forcément sous le couvert de l'obscurité. La nuit donc. La méthode à suivre pour le vérifier est très simple : il suffit de surveiller la rue discrètement. L'inspecteur reviendra le soir même. Et les nuits suivantes, s'il le faut, jusqu'à ce que le meurtrier sorte de sa tanière. Alors, il lui mettra la main au collet. Indubitablement.

Plongé dans ses pensées, l'inspecteur Grolar repart en croquant ses pistaches. Déjà sérieusement entamé, le sachet se vide définitivement un peu plus loin. Déçu de ne plus rien avoir à se mettre sous la dent, l'inspecteur le froisse en boule et le jette à terre avant de rebrousser chemin, déterminé à faire une halte à *La coque de noix*, histoire de s'assurer que les amandes qu'on y vend sont aussi délicieuses que les pistaches dont il a semé les écales sur le trottoir.

Après souper, je réfléchis à la manière dont je vais procéder. Le poste d'observation idéal est sans aucun doute le petit toit qui protège l'entrée de la maison des intempéries. De là, je ne manquerai rien. Pour le rejoindre, il me suffira de passer par la fenêtre de la salle de bains. Le toit étant plat, j'y étendrai un sac de couchage. Cela m'assurera le confort voulu pour la nuit tandis que ma paire de jumelles infrarouge (cadeau de ma grand-mère) me permettra de surveiller ce qui se passe dans la rue.

Il n'est pas rare d'entendre les véhicules circuler jusque vers une heure ou deux du matin, même en semaine. Je doute que l'assassin commette ses forfaits en début de soirée. Le moment le plus probable me paraît se trouver entre deux et six heures du matin. Le tueur dispose ainsi d'à peu près quatre heures pour agir sans être vu. Ce soir, je me coucherai tôt et réglerai le réveil pour qu'il sonne à une heure.

Reste une chose à vérifier.

Je sors examiner l'arbre qui meurt devant la maison. La bande claire où l'écorce a été arrachée est assez haute. Plus haute qu'un individu de taille moyenne. À moins d'être un géant, le coupable doit traîner un escabeau ou un tabouret avec lui. Une personne qui se promène aux petites heures du matin avec un tel objet ne devrait pas être trop difficile à repérer.

En reculant, je sens quelque chose craquer sous la semelle de mes chaussures. Des écales de pistache ! Étrange. Qui s'arrêterait au pied d'un arbre pour manger des pistaches ? Tout à coup, j'ai une illumination. Et s'il s'agissait du tueur ? N'affirme-t-on pas que l'assassin revient toujours sur les lieux de son crime ? Peut-être est-il venu s'assurer du sort de sa victime.

Les écales n'y étaient pas ce matin, j'en mettrais ma main au feu. J'enrage d'avoir raté cette chance. Mes yeux filent le long du sol et que vois-je, quelques pas plus loin ? D'autres coques de pistache.

Tout excité, j'en cherche de nouvelles. Elles se succèdent tous les deux ou trois mètres. L'assassin n'est vraiment pas très malin d'avoir laissé des traces aussi évidentes derrière lui.

Malheureusement, ma joie est de courte durée. En effet, un sachet de papier roulé en boule met fin à la piste avant même que j'arrive au bout de la rue. Je ramasse la boule du bout des doigts. Des empreintes parsèment sûrement le papier, mais je n'ai aucune idée sur la façon de les prélever. Je défroisse le sac. Sur un côté est imprimé un cerneau et les mots *La coque de noix*. Je connais ce magasin. Il occupe le coin de l'avenue des Ormes

et de la rue des Micocouliers. Je décide d'aller y faire un tour sur-le-champ.

Quand je franchis la porte de la boutique, il n'y a que deux personnes et le propriétaire à l'intérieur. Ce dernier sert une dame qui a étalé une dizaine de pots sur le comptoir : spiruline, germe de blé, fibres, suppléments et j'en passe. L'autre client – dans la trentaine, longs cheveux blonds, en jeans – remplit un sachet identique à celui que j'ai découvert dans la rue d'un mélange de noix, de graines et de fruits secs.

La cloche de la porte d'entrée tinte quand la dame quitte le magasin avec ses emplettes. Je m'approche de la caisse sous le regard attentif du patron qu'une plaquette laminée, sur la blouse bleue, affirme s'appeler « S. Poudrier ».

— Bonjour. Que puis-je pour toi, mon garçon ? demande-t-il aimablement.

— Avez-vous des pistaches ?

— De l'autre côté de l'îlot, entre les amandes et les noisettes. Seulement deux dollars cinquante les cent grammes.

— Merci, mais je ne veux pas en acheter.

— Ah ! fait-il subitement méfiant. Qu'est-ce que tu veux, alors ?

Je lui montre le sac.

— J'ai trouvé ça sur le trottoir près de chez moi.

— Une fois les produits sortis d'ici, je n'en suis plus responsable, déclare-t-il, sur la défensive. Je suis un bon citoyen, moi. Je paie mes taxes, je recycle et je ne dépose pas mes ordures dans la rue deux jours à l'avance comme beaucoup.

— Je me demandais seulement si on vous en avait acheté récemment. Cet après-midi, par exemple ?

— Tu sais, tellement de gens vont et viennent. Cet après-midi, tu dis ? Attends, laisse-moi réfléchir. Des pistaches... Il me semble que... Oui, je me rappelle. Un gros avec une moustache à la Charlot. Il portait un veston et avait un chapeau à la main. Il transpirait beaucoup. Pourquoi veux-tu savoir ça ? Il est arrivé quelque chose ?

Je n'avais pas songé qu'on m'interrogerait à mon tour. J'invente rapidement une explication : que je devais rencontrer mon oncle, mais que je suis arrivé en retard et qu'il a dû partir sans m'attendre. À sa place je n'ai trouvé que ce sac vide. Comme il aime beaucoup les pistaches, j'en ai déduit qu'il était à lui. Au regard perplexe de monsieur Poudrier, je me rends compte que mon histoire est tirée par les cheveux. Heureusement, le client qui traînait dans la boutique me sauve la mise en posant ses achats sur le comptoir. Le patron se désintéresse aussitôt de moi et je m'esquive en douce.

Si le coupable revient bien sur les lieux de son crime, comme le soutiennent les auteurs de roman policier, je sais maintenant à quoi il ressemble.

— Vous voulez quoi ? tonne le commissaire Lemègre.

Quand quelque chose l'agace, le commissaire a un tic : il cligne des yeux. Et

plus ses yeux clignent, plus son irritation est grande. La demande de l'inspecteur Grolar l'a littéralement transformé en stroboscope.

— J'aimerais réquisitionner une voiture, chef. Pour établir une surveillance.

Les paupières du commissaire papillotent un tantinet plus vite, puis les coins de ses lèvres se relèvent en un rictus qui dévoile ses canines.

— Après tout, pourquoi pas ? dit-il d'une voix mielleuse. Asseyez-vous, je vais voir ce que je peux faire.

L'inspecteur ne se méfie pas de ce sourire qui aurait davantage place sur le mufle d'un fauve s'apprêtant à bondir sur sa proie. Il se glisse tant bien que mal entre les accoudoirs de plus en plus espacés du fauteuil tandis que le commissaire sort un formulaire d'un tiroir. Sur la feuille, son index semble parcourir une liste.

— Voyons. Hum ! Non... Non plus. Ah ! Que diriez-vous d'une Lamborghini, nous venons justement de recevoir le dernier modèle ? Ça frise les trois cents à l'heure, ces engins-là.

— Euh... quelque chose d'un peu plus discret peut-être, chef ?

— Évidemment, évidemment. Une Bentley, alors ? Les sièges sont ultra confortables, paraît-il.

— Indubitablement ! Cependant le volant n'est-il pas à droite ?

— Où avais-je la tête ! Dans ce cas, il faudra vous contenter d'une Limousine. Pas trop longue, avec minibar à l'arrière et téléviseur pour rendre les heures moins longues. C'est tout ce qu'il me reste pour l'instant.

Le visage de l'inspecteur s'éclaire d'un large sourire.

— Ça conviendra très bien.

— Blanche, noire ou bourgogne ?

— Euh... noire. C'est mieux, la nuit. Comme ça, elle passera inaperçue.

Le commissaire explose.

— Une voiture pour monter une planque à un débile qui s'attaque aux arbres ! Non mais, vous me prenez pour un imbécile, Grolar ?

— Indub...

L'inspecteur s'interrompt en voyant le visage du commissaire virer au rouge tomate. L'expression bon enfant qu'il avait un instant plus tôt devient celle d'un maniaque sur le point d'étriper sa victime. Avec un tournevis.

— Vous vous croyez au cinéma ? Je vous ai demandé de trouver le plaisantin qui donne des migraines aux services municipaux d'entretien des parcs. Pas de faire la chasse à l'ennemi public numéro un. Revenez avec une demande aussi farfelue et je vous envoie coller des contraventions rue Joseph-Laporte.

— Dans le tunnel ?

— Indubitablement.

L'entretien est clos. L'inspecteur se lève, mais le fauteuil s'accroche à lui, refuse de le laisser partir. En forçant des deux mains, il réussit tout de même à se dégager. Avant de partir, cependant, il effectue une ultime vérification :

— Euh... est-ce que ça veut dire que je ne peux pas avoir la Limousine ?

— Hors de ma vue, Grolar !

L'inspecteur s'empresse de sortir. Le commissaire ne doit pas être dans son assiette. Peut-être couve-t-il une grippe ? Dommage. L'inspecteur reste persuadé que son plan est bon. Le tueur opère forcément la nuit, sinon on l'aurait remarqué. Pour le prendre la main dans le sac, il suffirait de surveiller la rue discrètement. Plusieurs nuits d'affilée, s'il le faut. Mais pour cela, il a besoin d'un véhicule.

Confronté à ce dilemme, l'inspecteur Grolar retourne à la Tombe. Deux minutes ne se sont pas écoulées que surgit le Dr McAbbey.

— Je ne suis pas botaniste, déclare celui-ci, mais j'ai tout de même procédé à quelques analyses. Votre arbre n'a pas été empoisonné, il est mort d'inanition.

Inanition ! Ce simple mot fait frémir l'inspecteur. Il ne peut imaginer un sort plus atroce que de mourir de faim, lui qui adore tant manger.

— Comment est-ce possible ?

— Ça, je l'ignore. Pour le savoir, il faudrait que j'examine l'arbre de plus près. Qu'y a-t-il, Jules ? Vous avez l'air soucieux.

L'inspecteur relate à son ami la conversation qu'il vient d'avoir avec le commissaire. Sans voiture, son enquête tombe à l'eau.

— Utilisez la vôtre, suggère le Dr McAbbey.

— Je n'en ai pas.

— Alors prenez la mienne.

— Vous feriez ça ?

— Je n'en ai pas besoin. Passez chez moi ce soir, je vous donnerai les clés. Faites-y attention, hein ? J'y tiens comme à la prunelle de mes yeux.

— Je vais me coucher, m'man.

— Si tôt ? Il est à peine huit heures. Tu n'es pas malade au moins ?

— Juste un peu fatigué.

— Ah ? Peut-être vais-je t'imiter. Voilà une éternité que je n'ai pas lu dans mon lit. Bonne nuit.

— Toi aussi.

Je ferme la porte de la chambre derrière moi. Tout ce dont j'ai besoin s'y trouve déjà : sac de couchage, bouteille d'eau, collation, parapluie (le bulletin météo annonce un risque d'orage), téléphone cellulaire, réveil lumineux à piles et, surtout, les jumelles infrarouges.

J'essaie de dormir afin de prendre quelques heures de repos, mais rien à faire. Mon esprit n'arrête pas de se démener. Je n'arrive pas à imaginer pourquoi on voudrait tuer des arbres. Aucun motif ne me vient en tête.

Vers minuit, je n'en peux plus de tourner et de me retourner dans mon lit. Autant commencer ma veille maintenant. Tout est tranquille dehors et maman a éteint depuis longtemps. À présent, elle dort paisiblement. Je gagne la salle de

bains sur la pointe des pieds avec mon attirail. Ensuite, j'enjambe la fenêtre et me laisse tomber sur le toit du perron en contrebas.

Par chance, aucun lampadaire n'illumine la façade et la couche de nuages est trop compacte pour que la lune m'éclaire de ses rayons. Me voici dans l'obscurité la plus complète. J'étends mon sac de couchage et m'allonge sur le ventre comme un tireur embusqué. Jumelles à la main, je scrute les alentours. Avec elles, on voit comme en plein jour, sauf que les couleurs sont différentes. D'où je suis, le regard embrasse toute la rue. Évidemment, les arbres font écran par endroit, mais pas assez pour tout cacher. Je balaie chaque côté des yeux pour m'assurer qu'il n'y a personne. Une heure puis deux passent. Toujours rien d'anormal. Pour me désennuyer, je scrute les voitures garées le long du trottoir.

C'est comme ça que je découvre l'inconnu.

Il attend dans une mini Cooper marron et crème. À cette heure, c'est louche. Je l'observe attentivement. Un gros moustachu. Sa main monte constamment à sa bouche, comme s'il grignotait. S'il a des provisions, c'est qu'il a l'intention de rester là un bon moment. Pourquoi ? Soudain, il sort une paire de jumelles semblables aux miennes et les braque dans ma direction. Je m'aplatis à toute vitesse. Quand je relève la tête, les jumelles ont disparu. Un couteau a pris leur place dans les mains de l'inconnu. Cette fois, pas de doute : je tiens le tueur.

Je saisis mon cellulaire et compose sans hésiter le 9-1-1.

La nuit sera longue, l'inspecteur Grolar le sait, aussi s'y prépare-t-il avec soin. Dans la voiture du Dr McAbbey, il enfourne de quoi subsister jusqu'au matin : deux sacs géants de croustilles, une dizaine de pommes, deux litres de boisson gazeuse, un saucisson et cinq ou six tablettes de chocolat. À la réflexion, non. Plutôt sept ou huit. Ensuite, il enfile des vêtements confortables : une vieille paire de bloudjinnzes, un ticheurte qui a fait la guerre (laquelle, on ne sait pas), un lainage aux mailles étirées au cas où la nuit serait fraîche et des espadrilles si souples qu'on croirait ne rien avoir dans les pieds (à dire vrai, au moment de sortir, l'inspecteur se rend compte qu'il a oublié de les enfiler et se promène en chaussettes).

À vingt-deux heures et des poussières, l'inspecteur est prêt.

La boîte de vitesses manuelle de la voiture le laisse un peu perplexe. Car l'inspecteur Grolar a omis de dire une chose à son ami : il n'a pas de permis. Conduire, il sait (enfin, presque); c'est réussir l'examen qu'il est incapable de faire. Il en est à sa quatorzième tentative mais la nervosité le fait toujours échouer.

Dix minutes plus tard, l'inspecteur n'a toujours pas tourné le coin. Le moteur cale sans arrêt. Deux mètres et pouf ! l'automobile stoppe dans un hoquet de protestation. Pourquoi ? Dieu seul le sait. Bien qu'il habite à une demi-heure de voiture de la rue des Sycomores, l'inspecteur en met plus du triple pour arriver à destination. Vingt minutes de plus lui sont nécessaires pour stationner. Peut-être à cause du frein à main qu'il a oublié de desserrer avant de partir. Cela expliquerait aussi l'odeur de caoutchouc brûlé qui a envahi l'habitacle.

Une fois installé, l'inspecteur sort une paire de jumelles et examine les environs. Avec la frondaison des arbres, les lampadaires découpent la rue en îlots de lumière qui laissent des zones d'ombre. Ce n'est pas fameux, mais c'est mieux que rien. S'il le faut, il changera sa « planque » de place pour couvrir tout le périmètre. Satisfait, il se prépare à une longue veille en entamant son premier sac de croustilles.

Les heures s'écoulent et rien ne se passe.

Vers deux heures du matin, le tueur d'arbres n'a toujours pas donné signe de vie. De son côté, l'inspecteur a terminé un sac de croustilles, rongé six pommes jusqu'au trognon, englouti un litre de boisson gazeuse et dévoré quatre tablettes de chocolat. Les sièges naguère impeccables de la voiture du Dr McAbbey sont jonchés de miettes, de pépins, d'emballages, de taches brunes et collantes. Cependant, un problème bien plus épineux tourmente l'inspecteur : il a mal calculé ses provisions. Il n'en aura jamais assez pour tenir jusqu'au matin s'il ne se rationne pas. À cette seule hypothèse, son estomac se contracte et gargouille de protestation. Pour le calmer, l'inspecteur passe à l'artillerie lourde : le saucisson. Avec son fidèle couteau suisse, il entreprend d'en couper un bout qu'il mastique avec application en réfléchissant. Comme le saucisson lui donne soif, il avale une longue rasade de boisson gazeuse puis, l'esprit ailleurs, ouvre son deuxième sac de croustilles. Des coups à la fenêtre le font sursauter. La moitié des croustilles s'envolent du sac pour s'éparpiller en pluie autour de lui. Une lampe éclaire l'inspecteur en plein visage. Il était si plongé dans ses pensées qu'il n'a pas entendu arriver la voiture de patrouille.

Le policier lui fait signe de baisser la vitre et recule prudemment en posant la main sur la gaine de son pistolet. Dans ces cas-là, l'inspecteur Grolar sait qu'il vaut mieux obéir et s'expliquer après. Malheureusement, la chose n'est pas si aisée pour un homme de sa corpulence, dans la boîte à sardines qu'il occupe. La manivelle qui commande l'ouverture de la fenêtre est difficile à rejoindre et la ceinture de sécurité qu'il a oublié de détacher entrave ses mouvements. L'inspecteur essaie de réparer cet oubli, mais la boucle regimbe, si bien que lorsqu'il réussit enfin à se libérer et à ouvrir la fenêtre, le policier a eu le temps de s'énerver.

— Alors, on observe les dames en petite tenue à la faveur de l'obscurité ?

— Moi ! Jamais de la vie. Pour qui me prenez-vous ?

— Alors, expliquez-moi ce que vous faites assis dans le noir avec une paire de jumelles ?

— Je suis l'inspecteur Grolar et je suis en mission de surveillance.

— C'est ça, et moi, je suis la reine d'Angleterre et je viens faire mon épicerie.

— Je vais vous montrer ma carte.

L'inspecteur fouille ses poches uniquement pour se rendre compte qu'il a négligé de reprendre son portefeuille quand il a changé de pantalon.

— Si vous ne me croyez pas, appelez le commissaire Lemègre. Il est au courant.

— Appeler le commissaire à pareille heure ? Si vous le connaissiez, vous ne feriez même pas une telle suggestion. Permis de conduire et immatriculation.

— Euh… la voiture n'est pas à moi et je… j'ai laissé mon permis à la maison, ment l'inspecteur.

— De mieux en mieux. Descendez. Nous allons faire un bout de conduite ensemble.

— Où ça ?

— Au poste de police. Puisque vous êtes de la maison, vous vous y sentirez comme chez vous.

L'inspecteur est bien contraint d'obtempérer. Comme il sort de la voiture, le tonnerre gronde et la pluie se met à tomber. Alors, juste au moment où il grimpe dans la voiture de patrouille, l'espace d'un instant, à la faveur d'un éclair, l'inspecteur aperçoit un géant s'avancer lentement sur le trottoir.

Le tueur a fourbi son arme une bonne partie de l'après-midi. Elle est si aiguisée à présent qu'une plume se fendrait sûrement si elle se posait sur son tranchant. Vers deux heures du matin, le tueur enfile un long imperméable noir, puis jette un coup d'œil dans la rue. Satisfait, il se glisse dehors, reste un moment tapi dans l'ombre du perron. Un couple de noctambules passe sans le voir. Il les entend converser à voix basse. Le claquement de leurs pas s'éloigne rapidement puis s'éteint. Cette fois, la rue est vide. Le tueur se met en branle.

Cette victime sera la cinquième. Il prévoit d'en tuer deux avant de s'arrêter. Il le faut, car il craint que ses expéditions ne deviennent plus hasardeuses. Jusqu'à présent, la chance lui a souri, mais pour combien de temps encore ? Les gens commencent à s'interroger sur ces arbres qui périssent successivement sans raison apparente. Qui sait s'il n'y en a pas qui épient à leurs fenêtres, derrière les rideaux ? Non, tout de même pas. À une telle heure, les honnêtes gens dorment sur leurs deux oreilles. Néanmoins, le tueur doit se montrer prudent s'il veut profiter du fruit de son crime. Ses crimes.

Le tueur enjambe la grille du jardinet. Ensuite, il contourne la flaque de lumière d'un lampadaire afin de rester le plus possible dans le noir. L'arbre qu'il a choisi se trouve presque au bout de la rue, là où est garée une de ces mini Cooper tant à la mode de nos jours. Bien que ce soit un peu loin et plus risqué, ainsi, il brouillera la piste davantage.

Le tueur progresse lentement de tache d'obscurité en zone d'ombre, car il est mal assuré sur ses jambes. Souvent, il perd l'équilibre, manque de tomber. À mi-chemin, il s'arrête brusquement.

Une voiture de patrouille vient de surgir à l'intersection. Elle roule silencieusement jusqu'à la mini Cooper et s'arrête. Un policier en sort, s'approche du véhicule, cogne à la vitre. D'où il est, le tueur perçoit des éclats de voix dont il ne saisit pas le sens. Finalement, la portière de la petite automobile s'ouvre et un gros homme s'en extrait avec difficulté. Le policier escorte l'inconnu à l'arrière de la voiture de patrouille. Au même instant, des gouttes arrosent le tueur, qui lève la tête. Un éclair déchire la nuit, suivi presque aussitôt d'un coup de tonnerre et c'est la douche. Quand il voit la voiture de patrouille remonter la rue dans sa direction, le tueur se cache derrière un arbre et attend qu'elle ait disparu.

Il se dit qu'il l'a échappé belle. S'il était sorti cinq minutes plus tôt, s'il avait marché un peu plus vite, s'il s'était montré un peu moins prudent, peut-être est-ce lui qui s'en irait en prison. La prudence commanderait qu'il rebrousse chemin et remette son meurtre à un autre jour, puis il se dit qu'il faut jouer d'audace. Finalement, il n'y aura pas de meilleur moment pour accomplir son œuvre de mort. Il repart donc avec plus d'assurance que jamais.

Un quart d'heure plus tard, l'agonie du cinquième érable a débuté.

Le commissaire Lemègre est de mauvais poil. Son réveil n'a pas sonné, si bien qu'il a dormi vingt minutes de trop.

Même en forçant la cadence, il ne réussit pas à rattraper le temps perdu. C'est donc en retard qu'il arrive au poste de police. Il salue ses subordonnés d'un ton bourru avant de s'engouffrer dans son bureau. Comble de malheur, sa réserve de Langani, un arabica grand cru importé directement d'Éthiopie, est épuisée, de sorte qu'au lieu du concentré de dynamite qu'il boit habituellement le matin pour activer ses neurones, il doit se rabattre sur l'espèce de jus de chaussette insipide qu'ils appellent « café » à la cantine.

Comme pour ajouter à ces vexations de la vie quotidienne, le commissaire ne s'est pas installé depuis deux minutes que le téléphone fait entendre sa sonnerie stridente. Il décroche le combiné avec agacement.

— J'écoute, jappe-t-il.

— Commissaire ? Ici la permanence, déclare une voix à l'autre bout du fil. Nous avons quelqu'un qui prétend faire partie de vos services.

— Vous vous trompez. Je n'ai que des inspecteurs sous mes ordres, pas des abrutis.

— C'est ce que je pensais. Pardon de vous avoir dérangé, commissaire.

Un doute affreux traverse subitement l'esprit du commissaire.

— Un instant. À quoi ressemble votre zouave ?

— Euh... assez enveloppé avec une petite moustache à la Hitler.

— Grolar !

— C'est le nom qu'il a donné. Vous le connaissez ?

Le commissaire soupire.

— Malheureusement oui. Pourquoi l'avez-vous coffré ?

— Vers deux heures du matin, quelqu'un nous a prévenus qu'un individu se comportait de manière louche, rue des Sycomores. Une patrouille a été envoyée sur les lieux et a trouvé votre zigue dans une voiture qui ne lui appartenait pas, jumelles à la main. L'homme n'avait aucun papier sur lui. Il a soutenu être en mission de surveillance et déclaré que vous confirmeriez ses dires, mais les policiers ont cru qu'il s'agissait d'un voyeur. Nous ne voulions pas vous réveiller à une telle heure, alors il a passé la nuit en cellule. Je suis désolé, commissaire.

— Pas autant que moi.

— Je vous l'envoie ?

— Surtout pas. Il a déjà suffisamment gâché ma journée comme ça. Dites-lui que vous n'arrivez pas à me joindre et gardez-le une heure ou deux de plus, ça lui fera les pieds. Les détenus ont déjà eu à déjeuner ?

— Pas encore.

— Inventez une histoire, n'importe quoi, mais ne lui donnez pas à manger.

— Rien du tout ?

— Non. C'est un boulimique. Une petite diète ne lui fera que du bien.

— Entendu. Au revoir, commissaire.

— Au revoir.

Le commissaire Lemègre sourit. En fin de compte, la journée ne démarre pas si mal.

— Alors, vous l'avez eu ? Vous lui avez parlé ? interroge anxieusement l'inspecteur Grolar.

Le policier baisse les yeux, embarrassé.

— Il n'est pas encore arrivé.

L'inspecteur s'étonne.

— Pas arrivé ? Bizarre, lui qui est si ponctuel d'habitude. Cet homme est réglé comme du papier à musique. Un vrai chronomètre. Toujours à l'heure. Peut-être lui est-il arrivé quelque chose. Avez-vous téléphoné chez lui ?

— Ça ne répond pas.

— Indubitablement, voilà qui est étrange. Tant pis, j'attendrai. De cette façon j'aurai le temps de déjeuner. Justement, je meurs de faim.

La gêne du policier devient presque palpable.

— Euh... il n'y aura pas de déjeuner aujourd'hui.

— Pas de déjeuner ? Comment ça ?

— Euh... un accident à la cantine. Un début d'incendie, je crois. La cuisine est inutilisable.

L'inspecteur Grolar blêmit.

— Maimaimais j'ai besoin de me nourrir. Je n'ai rien mangé depuis hier. Jamais je ne tiendrai le coup. Indubitablement. D'ailleurs, j'ai déjà les jambes en coton.

— Je peux vous apporter du café, si vous voulez.

— Vous n'auriez pas plutôt du chocolat chaud ? Oh ! j'ai une idée. Allez m'acheter un sandwich au jambon et au fromage au casse-croûte du coin. Je vous rembourserai.

— Le règlement l'interdit. Vous devrez attendre. Mais ne vous inquiétez pas, je suis sûr qu'il n'y en a pas pour très longtemps.

— Voici ce que vous m'avez demandé, Jules. Mais comment diable avez-vous fait pour échouer dans cette cellule ?

L'inspecteur Grolar s'empare du sac que lui tend son ami et ampute le sandwich qui s'y trouve du quart avant même de répondre. Sauter le déjeuner puis le dîner. Jamais il n'a eu si faim de sa vie ! Le commissaire Lemègre demeurant introuvable, l'inspecteur a appelé le Dr McAbbey. Un trait de génie ! Celui-ci n'a pas hésité une seconde à venir le tirer de ce mauvais pas.

L'inspecteur relate les événements de la veille, jusqu'à son inexplicable incapacité de mettre la main sur le commissaire afin qu'il dissipe le malentendu.

— Foutu Lemègre ! jure le Dr McAbbey. Jamais là quand on a besoin de lui, mais toujours dans vos pattes quand on ne veut pas voir sa sale bobine. Bon, je vous laisse, Jules, des clients m'attendent au Frigo.

Ils se serrent la main et vont chacun de leur côté.

Durant son séjour en cellule, l'inspecteur Grolar a eu le temps de réfléchir (il n'y avait rien d'autre à faire). Deux choses le tourmentent. D'abord cette espèce de géant qu'il a aperçu à la lueur de la foudre. L'a-t-il vraiment vu ou son imagination lui a-t-elle joué un tour ? Ensuite, la personne qui s'est méprise sur son compte et l'a dénoncé. Si elle était debout à pareille heure, peut-être a-t-elle remarqué quelque chose ? Il doit la retrouver et l'interroger.

Sandwich englouti, l'inspecteur consulte le registre dans lequel sont consignés tous les appels placés à la police.

— Dites-moi, demande-t-il au policier de service, l'auteur du coup de téléphone d'hier, il a donné son nom ?

— Oui, inspecteur. L'appel venait d'un certain Gilles Jourdan, domicilié au vingt-trois, rue des Sycomores.

— Merci.

L'inspecteur commence à connaître le chemin. Il est près de deux heures de l'après-midi quand il se met en route. En passant devant *La coque de noix*, un tiraillement lui apprend qu'aussi consistant qu'ait été le sandwich du D[r] McAbbey, un coin de son estomac n'a pas trouvé preneur. Par un effort surhumain, il refrène néanmoins son appétit. L'enquête doit se poursuivre. Il n'a que trop perdu de temps. Des vies d'arbres sont en jeu.

La voiture du D[r] McAbbey est toujours là où elle a été abandonnée, la veille. La fourrière ne l'a pas remorquée. Encore cinquante mètres et l'inspecteur arrive à destination. L'endroit lui est familier. C'est là qu'il s'était arrêté l'autre jour pour manger ses pistaches.

Après avoir franchi la grille du jardinet, il gravit les cinq marches conduisant à la porte. À côté de cette dernière une plaque en laiton annonce :

Dr Jourdan, DMVC
Du lundi au jeudi, 9 h à 16 h
Spécialité: animaux exotiques
Sur rendez-vous seulement

On est vendredi. Donc le docteur ne reçoit pas. L'inspecteur appuie sur le bouton de sonnette. Quelques secondes plus tard, un bruit de pas se fait entendre et la porte s'ouvre devant une femme. Ses cheveux sont cuivrés et ses yeux verts, pailletés d'or. Jolie, dans la trentaine, elle est de celles qui accordent rarement de l'attention à un homme tel que lui. L'inconnue lui sourit aimablement.

— Oui ?

— Bonjour, madame. J'aimerais parler à monsieur Jourdan.

Les sourcils de la femme s'incurvent en signe de perplexité.

— Monsieur Jourdan ? Il n'y a pas de monsieur Jourdan.

— Monsieur Gilles Jourdan.

Son visage s'éclaire.

— Gilles ? Ah ! Il n'est pas là. Il est allé voir sa grand-mère. Mais je l'attends d'une minute à l'autre. Puis-je savoir pourquoi vous désirez lui parler ?

L'inspecteur sort sa carte. Son arrestation, la veille, lui a servi de leçon. Avant de venir, il est allé chez lui récupérer son portefeuille.

— Inspecteur Grolar. J'aimerais juste lui poser quelques questions.

La jeune femme s'alarme à la vue du document. Le sérieux de l'inspecteur lui fait sans doute craindre le pire.

— Il ne lui est rien arrivé de mal au moins ?

Le ton de l'inspecteur s'adoucit.

— Rassurez-vous. Je mène une enquête et je crois qu'il pourrait m'aider. Indubitablement.

— Une enquête ! Voilà qui est passionnant. Entrez donc, vous l'attendrez à l'intérieur.

— Je ne sais pas si…

— Je sors une tarte du four à l'instant. Vous pourriez en manger une pointe avec une tasse de café.

La gourmandise de l'inspecteur décide à sa place.

— Euh… vous n'auriez pas plutôt du chocolat chaud ?

De temps en temps, je vais voir un film avec grand-maman. Elle essaie de me convertir au cinéma français et moi, au cinéma américain. Les films français – je veux dire ceux réalisés en France, pas les films doublés en français – ont vraiment quelque chose de particulier.

Tenez, l'autre jour, grand-maman tenait absolument à m'emmener à la cinémathèque. On y projetait un film intitulé « Une histoire simple ». Une histoire simple ! Une histoire plate, oui. Il ne se passe strictement rien. Que des gens qui parlent, qui vont au restaurant, qui se promènent… Le film n'a même pas de fin ! On dirait une bande vidéo de vacances ou d'anniversaire. La semaine prochaine, je l'emmènerai voir « Film de peur 18 » pour qu'elle sache ce que c'est que du vrai bon cinéma.

En route vers la maison, je m'arrête pour examiner la Cooper marron et crème stationnée dans la rue. Le tueur d'arbres doit sûrement passer un mauvais quart d'heure au poste de police. Je regarde à l'intérieur. Quelle porcherie ! Des croustilles et des emballages de tablettes de chocolat sont éparpillés partout, des trognons de pomme émaillent le plancher et deux bouteilles de boisson gazeuse dont une vide occupent le siège du passager. En revanche, aucun objet tranchant.

En reculant, je me rends subitement compte que l'arbre au-dessus de moi a une bande claire sous sa fourche principale. On lui a enlevé un morceau d'écorce !

Impossible ! Comment le tueur a-t-il pu accomplir un nouveau forfait ? Je n'ai cessé de le surveiller jusqu'à l'arrivée des policiers. L'aurait-on relâché par la suite ? Avait-il un complice ? Moi qui croyais l'affaire résolue, me voici revenu à la case départ.

Il a plu la veille et l'eau a ramolli le sol car, entre les racines, il y a un trou bien rond comme celui que ferait le bout d'une canne si on s'appuyait dessus. Qu'est-ce que cela veut dire ? Je repars, perplexe.

Des éclats de rire m'accueillent quand j'ouvre la porte de la maison. Maman a de la visite. Voilà qui est inhabituel.

— C'est toi Gilles ? lance-t-elle de la cuisine.

— Oui, m'man.

— Quelqu'un est là pour toi.

Quelqu'un ? Pour moi ? Je traverse le corridor menant à l'arrière. L'odeur qui imprègne l'air m'apprend que maman a cuit une tarte au riz, spécialité belge qu'elle tient de ma grand-mère.

Mon cœur s'arrête au moment où je pose le pied dans la cuisine.

— Ça ne va pas ? s'inquiète maman en m'apercevant. Tu es blanc comme un drap.

Il y a de quoi : elle sirote un café en compagnie du tueur !

Ainsi, je ne m'étais pas trompé. La police l'a libéré. Non seulement ça, il a découvert qui l'a dénoncé et est venu se venger. Le tueur glisse une main dans la poche intérieure de son veston. Avant qu'il en sorte son arme, je me rue sur lui en criant à maman de se sauver.

Le ventre du tueur m'accueille tel un coussin. La chaise, qui peine déjà sous la charge, ne résiste pas à ce poids supplémentaire. Nous basculons tous les deux dans le vide pour nous retrouver à terre.

— Pour l'amour, Gilles, es-tu devenu fou ? s'exclame maman dans mon dos. Pardonnez-lui inspecteur, j'ignore quelle mouche l'a piqué.

Inspecteur ?

Elle aide le tueur à se relever et époussette son veston.

— Vous n'avez pas de mal ?Je suis sincèrement désolée. Gilles, présente tes excuses à monsieur l'inspecteur.

— Cela ira, madame. C'est indubitablement un malentendu. N'est-ce pas, mon garçon ?

Incapable de proférer un son, je hoche la tête. Celui que je prenais pour le tueur d'arbres est en réalité un policier. Comme gaffe, on ne ferait pas mieux !

— Eh bien, dit celui-ci, je crois que j'ai assez abusé de votre gentillesse. M'accompagnerais-tu jusqu'à la voiture, Gilles ? J'aimerais te parler.

— Oui, réponds-je mécaniquement, toujours sous le choc.

— Au revoir, madame. Merci pour votre hospitalité. La tarte était délicieuse. Indubitablement.

— Pourquoi n'en apportez-vous pas un morceau avec vous ?

— Euh, jamais je n'oserais… indubitablement, bredouille l'inspecteur sur un ton qui manque de conviction.

— Osez, osez, cela me fera plaisir. Pour une fois que quelqu'un apprécie ma cuisine. Attendez, je vous l'enveloppe.

Elle emballe un gros morceau de tarte dans du papier d'aluminium et nous sortons.

— Je parie que tu m'as pris pour l'arboricide, déclare l'inspecteur une fois dehors.

— Le quoi ?

— L'arboricide. Comme on dit parricide, infanticide, j'ai pensé que pour un tueur d'arbres, on pourrait utiliser arboricide.

— Je vous jure que j'ignorais que vous étiez de la police.

— Ne t'en fais pas. C'est du passé. Dis-moi plutôt comment tu en es venu à t'intéresser à cette affaire.

Je lui explique tout depuis le début, en terminant par ma plus récente découverte : l'arbre qui agonise juste à côté de sa voiture et l'empreinte sur le sol. Il m'écoute attentivement, sans m'interrompre, avant de me raconter ce qu'il sait, y compris la silhouette que la foudre a découpée sur le ciel nocturne l'espace d'un instant.

— Vous croyez qu'il s'agit de l'arboricide ?

— Que dirais-tu de m'assister ? À deux, nos chances de le mettre hors d'état de nuire seront indubitablement meilleures.

Si je m'attendais à pareille proposition ! Et comment que ça m'intéresse.

— Qu'est-ce que je dois faire ?

— Connais-tu un endroit où nous pourrions bavarder tranquilles en mangeant un morceau ? Je commence à avoir un petit creux.

L'inspecteur Grolar est fier de lui. Non seulement il a recruté un adjoint plutôt dégourdi, mais il a découvert une des merveilles du terroir belge. Cette tarte au riz est un pur délice. Si cela n'avait tenu qu'à lui, il l'aurait dévorée en entier. Ce riz crémeux doré à l'œuf avec un soupçon de muscade dans une pâte croustillante qui rappelle le pain frais. Miam ! Il en a encore l'eau à la bouche.

Gilles et lui échouent au *Patates blues*, un boui-boui situé au coin de l'avenue des Aulnes et de la rue des Marronniers. Ils font le point et échafaudent un plan d'action.

— Ce doit être quelqu'un du coin, déclare l'inspecteur en posant sa fourchette.

— Pourquoi ?

— Nulle part ailleurs on n'a rapporté d'arbre mort dernièrement. J'ai vérifié auprès des services municipaux de la région. Il n'y a que sur ta rue qu'ils meurent.

— Qui aurait intérêt à tuer des arbres uniquement sur ma rue ?

— Je ne sais pas, mais il y a une raison. Indubitablement. Tu connais les gens du quartier ?

— Quelques-uns. En tout cas, je n'ai jamais vu de géant.

— Il faudrait en dresser la liste et enquêter sur chacun. Peut-être découvrirait-on un indice qui nous mettrait sur la piste, un fil conducteur.

— Je sais où trouver une liste.

— Où ?

— À la maison. Maman garde toujours la liste électorale. Les noms des personnes de plus de dix-huit ans y sont tous, à moins qu'ils n'aient déménagé récemment.

— Excellent. Nous la consulterons demain. Dans l'intervalle, je vais reprendre ma surveillance.

— Inutile, l'arboricide n'agira pas cette nuit.

L'inspecteur hausse un sourcil.

— Comment ça ?

— Deux ou trois jours séparent chaque meurtre. Comme le dernier a eu lieu hier…

— Tu es bon observateur. Indubitablement. Eh bien, profitons du temps que nous avons devant nous pour le démasquer et lui mettre la main au collet.

— Maman, où as-tu mis la liste électorale ?

— Regarde dans le premier tiroir de la cuisine, à droite. Je crois qu'elle y est.

J'ouvre le tiroir en question et finis par découvrir la grande feuille pliée en quatre sous un tas de prospectus. Il est près de neuf heures. L'inspecteur ne tardera pas à arriver.

— Que veux-tu faire avec ça ? interroge maman en me rejoignant, tasse de café à la main.

Je lui explique. Aussitôt, une sorte de frénésie s'empare d'elle.

— L'inspecteur revient ? Mais je n'ai rien pour le recevoir. Pourquoi ne m'en as-tu pas parlé ?

Qu'est-ce qui lui prend ? Elle sort le reste de tarte au riz du réfrigérateur, le garnit de sucre en poudre, presse quelques oranges dans l'extracteur.

— Tu lui présenteras mes excuses, des clients attendent déjà. Qu'il fasse comme chez lui. S'il a faim, il n'a qu'à se servir.

Elle disparaît dans son cabinet.

L'inspecteur Grolar arrive avec une demi-heure de retard. Je le fais passer à la cuisine. Son regard accroche immédiatement la tarte qui trône, bien en évidence, sur la table.

— Maman dit que vous pouvez vous servir. Il y a aussi du jus d'orange.

— Juste un petit peu alors. Pour faire plaisir à ta mère.

Il prend la moitié du restant de tarte et nous nous asseyons. Je lui remets la liste.

— Identifions d'abord les propriétaires des maisons devant lesquelles un arbre a été tué, déclare-t-il entre deux bouchées.

— J'ai préparé un tableau.

Je sors la feuille de mon calepin. En l'attendant, j'en ai profité pour le compléter, ce qui donne ceci :

Victime	Date	Lieu	Propriétaire
Un	21 juillet	n° 4	Eugénie Grandet
Deux	24 juillet	n° 11	Boris Trigorine
Trois	28 juillet	n° 31	Juien Sorel
Quatre	31 juillet	n° 23	Maman
Cinq	4 août	n° 6	Dorian Gray

Nous sommes le cinq. S'il respecte sa façon de procéder, l'arboricide devrait frapper de nouveau le sept ou le huit.

— Tu connais quelqu'un là-dedans ?

— Il m'est arrivé de parler à monsieur Gray quelquefois. Libellule l'intriguait.

— Libellule ?

— Mon cochon vietnamien. Je ne vous l'ai pas présenté ? Attendez.

J'appelle l'intéressé.

Des grognements puis un cliquetis se font entendre et Libellule surgit dans la cuisine, groin en l'air, en quête d'odeurs

nouvelles. Il file droit sur l'inspecteur qu'il renifle partout : chaussures, pantalon, veston. Il va jusqu'à se dresser sur ses pattes pour lui sentir la main. L'inspecteur n'ose bouger.

— Qu'est-ce qu'il me veut, cet animal ? fait-il.

— Rien. Libellule adore flairer les gens. C'est comme s'il avait une banque d'odeurs dans la tête. Je suis sûr qu'il battrait le meilleur limier de la police.

— Tu l'as entraîné ?

— Un peu, pour m'amuser. Je lui fais renifler un objet puis je le cache quelque part et je lui demande de le retrouver. Les cochons sont des animaux très intelligents. Malheureusement, Libellule a son petit caractère. Quand il est de mauvaise humeur, mieux vaut le laisser tranquille. Il fait sa tête de cochon, quoi.

Libellule se désintéresse de l'inspecteur pour se coller à la porte de derrière. Je le laisse sortir dans le jardin.

— Qu'est-ce qu'on fait maintenant ?

— À présent, répond l'inspecteur, la vraie enquête commence.

— Qu'est-ce que vous voulez ? Que j'ausculte un arbre ?

Le Dr McAbbey a du mal à en croire ses oreilles.

— C’est vous qui l’avez proposé.

— Par politesse, Jules. Écoutez, je vous aime bien. Vous êtes le seul à me tenir compagnie au Frigo même si je retrouve parfois des miettes ou du chocolat sur mes cadavres, mais, au risque de me répéter, je suis médecin, pas botaniste. Et cette idée d’amener un gamin ici ! Si jamais Lemègre l’apprend…

Le gamin, c’est moi. L’inspecteur Grolar m’a proposé de l’accompagner au poste de police, car il tenait à s’entretenir avec son ami.

Je n’avais encore jamais mis les pieds dans une salle d’autopsie. En fait, cela ressemble à la salle d’examen de maman, en plus grand : deux tables et des éviers en acier inoxydable, une panoplie d’instruments chirurgicaux, des armoires pleines de produits chimiques… Je m’attendais à voir un tas de cadavres, mais non. Ils sont rangés à l’intérieur d’un casier dans la grande chambre froide qui occupe un mur complet du local.

Le Dr McAbbey est assez petit (je suis presque aussi grand que lui). Il a le crâne chauve en forme d’œuf et les sourcils broussailleux. Avec ses lunettes au verre épais comme le cul d'une bouteille, il me fait penser à un de ces savants fous qui peuplent les dessins animés. Manifestement, la proposition de l'inspecteur ne l'enchante guère.

— Prendre un peu d'air vous ferait indubitablement du bien, insiste celui-ci.

— Mais je ne veux pas sortir. Je suis très bien ici !

La ténacité de l'inspecteur finit par l'emporter sur l'obstination du légiste. Comme la scène du « crime » n'est pas loin, nous y allons à pied.

Le Dr McAbbey marche d'un pas sec et rapide. Si je n'ai aucune difficulté à le suivre, on ne peut en dire autant de l'inspecteur.

— Pas si vite, bon sang, Tom pff... pff..., halète-t-il. C'est comme si pff… pff.. vous couriez pff... pff... le marathon.

Le docteur ralentit en maugréant.

— J'ai autre chose à faire que me balader, Jules. Dépêchez-vous.

Quand nous arrivons à l'endroit où le dernier arbre a été tué, l'inspecteur sort un mouchoir de sa poche et s'en éponge le front en essayant de récupérer son souffle.

Un problème se pose immédiatement. Le Dr McAbbey est trop petit pour exa-

miner la blessure de près. Avant que je propose d'aller chercher un escabeau à la maison, le docteur ordonne, péremptoire : « Mettez-vous à quatre pattes, Jules, que je grimpe sur votre dos. »

L'inspecteur n'ose refuser. Le docteur escalade son tabouret humain et tire une loupe de sa poche. Il étudie la bande claire responsable du trépas de l'arbre. Deux minutes lui suffisent pour compléter son analyse.

— Alors ? interroge l'inspecteur en s'époussetant.

— Tout ce que je peux dire, explique le Dr McAbbey, c'est que l'instrument qui a fait ça était drôlement bien aiguisé. La coupure est très nette. Celui qui l'a faite est droitier, car l'entaille est plus profonde de gauche à droite. Il a cisaillé l'écorce en deux coups. Un à gauche, zip, un à droite, rezip. Les demi-cercles sont légèrement décalés. Ensuite, il a dû prendre un couteau ou un canif pour détacher la bande. Je doute qu'une femme soit assez costaude pour réaliser ça. Il doit donc s'agir d'un homme, un grand. Ah ! autre chose. L'arme du « crime » est circulaire. Je pencherai pour une serpe.

— Comment le savez-vous ?

— Une perforation à l'extrémité de chaque entaille. C'est comme si on avait appuyé sur la pointe de l'instrument pour qu'elle pénètre mieux le bois à cet endroit.

— Et l'empreinte ?

Le regard des deux hommes suit ma main qui indique la trace circulaire laissée dans la terre, au pied de l'arbre. Le Dr McAbbey s'agenouille, humecte un doigt, le passe sur le rebord du trou, en jauge la profondeur et le diamètre, promène sa main sur le sol, se relève, retourne voir le tronc de l'arbre à mi-hauteur.

— Ce n'est pas une canne qui a fait ça, conclut-il. Regardez, il y a une empreinte identique, là.

On discerne à peine un arc de cercle, à cause d'une grosse racine.

— Une échelle ? se demande le Dr McAbbey à voix haute. Non, il l'aurait appuyée contre le tronc et il n'est pas éraflé. Une chaise alors ? S'ils étaient posés sur le trottoir, les deux autres pieds n'auront pas laissé de trace. Je ne sais pas. En tout cas, c'est en bois, j'ai trouvé une esquille. Je vous analyserai ça. Bon, vous êtes satisfait ? Je peux retourner m'occuper de mes clients ?

— Merci, Tom. J'apprécie. Indubitablement. Je vous revaudrai ça.

— J'y compte bien. Quelles sont vos intentions ?

— Faire du terrain.

— Trouver à qui le crime profite. Voilà che... gloup ! voilà ce qu'il faut faire. Indubitablement, déclare l'inspecteur la bouche pleine.

Maman l'a invité à manger. L'inspecteur ne s'est pas fait prier et nous livre des rudiments de techniques policières tout en vidant l'assiette que maman remplit derechef.

— Ch'est délichieux, madame Jourdan.

— Appelez-moi Isabelle.

Je ne la reconnais plus. Elle est transfigurée. Je ne l'ai jamais vue si gaie, si attentive, si empressée depuis la disparition de papa.

— Dans che cas, appelez-moi Jules.

Si ça continue, ils vont se mettre à roucouler ! Moi, ce qui m'intéresse, c'est découvrir qui massacre les arbres et le mettre hors d'état de nuire. Pour ramener la conversation dans la bonne direction, je propose une explication.

— Le tueur possède peut-être une pépinière et vend ses arbres à la ville pour remplacer ceux qui sont morts ?

— Indubitablement bien raisonné, convient l'inspecteur, mais, si c'est le cas, pourquoi se limiter aux arbres de cette rue ? Pourquoi ne pas tuer des arbres un peu partout ?

— Je ne sais pas.

— Il y a autre chose. De toute manière, j'ai vérifié. Les services municipaux ont leur propre pépinière. La ville y cultive tout ce dont elle a besoin. Cela coûte moins cher.

— Pourquoi tuer des arbres ? intervient maman.

— Je ne vois que deux hypothèses : la vengeance ou la folie.

— Mon Dieu ! s'exclame-t-elle. Il y aurait un maniaque dans le quartier ?

L'inspecteur lève une main apaisante.

— N'ayez crainte, Isabelle. La police veille. D'ici peu, le coupable sera indubitablement sous les verrous. Je le sens. Et puis, pour parler franc, je ne crois pas à l'hypothèse de la folie. Un tueur d'arbres en série, cela n'existe que dans les bandes dessinées, pas dans les annales du crime. Non, il s'agit indubitablement d'un acte de vengeance.

Sa troisième assiette terminée, l'inspecteur Grolar annonce qu'il part interroger les habitants du quartier. Peut-être quelqu'un a-t-il remarqué quelque chose ? Il me propose de l'accompagner, ce que j'accepte vivement. J'en profiterai pour sortir Libellule. Je l'ai un peu négligé ces derniers temps.

S'il adore les chats, Libellule a les chiens en horreur. Quand il en croise un, il grogne et cherche à le mordre. Précisons que les chiens lui rendent bien la pareille.

L'inspecteur commence par Eugénie Grandet, la première devant chez qui un arbre est mort. Nous l'accostons sur le pas de sa porte, car elle s'apprête à sor-

tir. Elle exige de voir la carte d'identité de l'inspecteur avant de répondre à ses questions tout en jetant des regards dégoûtés à Libellule. L'inspecteur lui demande si elle a noté quelque chose de suspect dans la rue récemment. Eugénie Grandet répond qu'elle n'a pas vraiment fait attention, qu'elle a d'autres soucis en tête. Quand l'inspecteur l'interroge pour savoir si quelqu'un aurait pu vouloir se venger d'elle en tuant l'arbre devant son domicile, Eugénie Grandet ouvre de grands yeux et s'esclaffe. Elle pense qu'un de ses amis nous a envoyés lui jouer un tour. Elle dit que si on voulait se venger d'elle, on s'y prendrait autrement qu'en tuant un arbre stupide et avons-nous fini de lui poser des questions idiotes, car elle est pressée et on l'attend.

L'inspecteur s'excuse de l'avoir dérangée et la laisse aller.

Nous remontons la rue du côté impair. Plusieurs maisons sont inoccupées. Ailleurs, les gens n'ont rien remarqué d'anormal. Quelques-uns croient qu'il faut blâmer la pollution pour la mort des arbres ; d'autres critiquent le fait que la police perde son temps à mener une telle enquête alors que le crime et la violence ne cessent d'augmenter.

Au trente et un, où est mort un autre arbre, habite Julien Sorel, un quinquagénaire au nez en bec d'aigle et au menton en galoche. Bien que nous soyons au milieu de l'après-midi, il ouvre la porte en peignoir. Ses cheveux sont ébouriffés, comme s'il venait de se lever. La gentillesse ne l'étouffe pas lui non plus. En découvrant la carte de l'inspecteur, sa nervosité monte et son regard se fait fuyant, comme s'il avait peur. Ses réponses s'abrègent, la sueur perle sur son front. Finalement, il coupe court à l'interrogatoire en prétextant lui aussi un rendez-vous pour lequel il est déjà en retard. Le ton n'est pas très convaincant.

L'inspecteur repart, songeur.

— Ce bonhomme cache indubitablement quelque chose. Je vais me renseigner un peu plus sur son compte.

À côté vit une vieille dame. Elle s'ennuie tellement depuis la mort de son mari qu'il n'y a pas besoin de l'interroger. Elle nous raconte tout, y compris ce qu'on ne veut pas savoir. Il se passe des choses étranges dans la rue, dit-elle. Des choses terribles. Elle nous fait signe d'approcher pour nous les confier tout bas à l'oreille.

— Il est revenu, monsieur le juge, chuchote-t-elle.

— Inspecteur seulement, corrige l'inspecteur Grolar. Qui est revenu ?

— Lui. Le géant. Il est revenu se venger.

Aha ! L'inspecteur en était sûr. Il s'agit d'une histoire de vengeance. Et il n'a pas rêvé. Un géant rôde bien dans le quartier, la nuit !

— Vous le connaissez ?

— Mais tout le monde le connaît, monsieur le procureur ! C'est pour cela qu'il se cache et qu'il ne sort que la nuit tombée. Il a peur qu'on le reprenne. Seulement moi, je veille. Je l'ai aperçu l'autre jour. C'est lui, aucun doute là-dessus.

— Vous pourriez le décrire ?

— Oh ! il mesure bien deux mètres et demi et doit peser dans les cent soixante kilos. Imaginez, monsieur le ministre, il jonglait avec des barils de farine pour s'amuser. Évidemment, ça, c'était avant…

— Avant ? Avant quoi ?

— Avant qu'ils l'empaillent, monsieur le curé. Si ce n'est pas malheureux. Pas difficile de comprendre pourquoi il veut se venger. Songez un peu : finir dans une vitrine pour amuser les curieux, ce n'est pas digne d'un chrétien.

— Mais de qui parlez-vous à la fin ?

— Du géant Beaupré, évidemment.

La vieille dame n'a plus toute sa tête. L'inspecteur la remercie et nous repartons.

Voici la dernière maison où un arbre a péri de ce côté de la rue. C'est le numéro onze. Y habite un certain Boris Trigorine.

Un monsieur élégant, à la barbiche en pointe et vêtu d'une veste d'intérieur en soie, nous accueille. Presque aussi petit que le Dr MacAbbey, il répond poliment aux questions de l'inspecteur tout en en posant discrètement autant de son côté. L'enquête progresse-t-elle ? Sommes-nous sur une piste ? Allons-nous bientôt procéder à une arrestation ?

L'inspecteur n'étant pas loquace, Boris Trigorine m'interroge au sujet de Libellule qui n'arrête pas de lui renifler le bas des pantalons. Il explique qu'il enseignait les sciences dans un collège. De là vient sa passion pour l'astronomie. Il a même converti son balcon en observatoire, à l'étage.

L'inspecteur se racle la gorge et demande à l'astronome amateur s'il n'a rien noté d'inhabituel, la nuit, quand il regarde les étoiles.

— Quoi, par exemple ?

— Un géant en balade.

— Pas plus de géant que d'éléphant, répond le barbichu, acerbe. Et puis, c'est le ciel que j'observe, pas la rue.

Je n'en reviens pas que l'inspecteur ait posé cette question. Croit-il sérieusement à la théorie du géant ?

À présent, monsieur Trigorine affiche des signes d'impatience. Ces interminables questions finissent par le lasser.

— Est-ce tout ? J'aime bien bavarder avec vous, mais je n'ai pas que ça à faire, vous savez.

L'inspecteur le remercie de sa coopération.

— Très aimable, ce monsieur, commente-t-il, tandis que nous rebroussons chemin. Bon, en voilà assez pour aujourd'hui. Je vais me renseigner sur ce Julien Sorel. Ça me paraît louche. Nous verrons ce qu'il convient de faire demain.

Nous nous séparons sur une poignée de main et je retourne à la maison, Libellule trottinant à mes côtés. C'est drôle, mais j'ai l'impression que l'inspecteur fait fausse route. Si monsieur Sorel n'était pas très aimable, monsieur Trigorine, lui, l'était trop. C'est ça que je trouve louche, moi.

Le tueur regarde le gros homme et son petit acolyte s'éloigner. En les découvrant derrière sa porte, il a cru un instant qu'il avait commis une erreur, qu'il n'avait pas pris assez de précautions, qu'il avait agi avec trop de précipitation dans sa hâte d'en finir et qu'ainsi, quelqu'un l'avait vu commettre son forfait et signalé à la police, qui avait deviné son identité. Mais il se trompait. Certes, on l'a interrogé. Cependant, pas de la manière qu'on interroge un suspect. Le policier nageait dans le noir. Tel un pêcheur ignorant où se trouve le poisson caché dans l'eau, il lançait sa ligne au hasard dans l'espoir que sa proie se laisserait tenter.

Le tueur réfléchit. Il devra redoubler de prudence, mais il est impérieux que son plan aboutisse s'il veut enfin récolter le fruit de son labeur. Plus vite il en aura terminé, plus vite sa carrière d'assassin prendra fin et il redeviendra le petit monsieur tranquille qu'il a toujours été. Bien malin alors qui réussira à le démasquer.

— Grolar, qu'est-ce que ce que j'apprends ? Vous avez troqué la fonction de policier pour celle de puéricultrice ?

L'inspecteur s'étrangle, car il vient de mordre à belles dents dans un copieux sandwich beurre d'arachide-banane. Le mastic brun qui cimente les deux tranches de pain englue sa langue au palais. Trente secondes s'écoulent avant que la boule de colle alimentaire libère sa bouche et s'enfonce dans l'œsophage lui permettant de répondre au commissaire qui se tient dans l'encadrement de la porte, sourcils froncés et regard courroucé.

— Gloup... Que voulez-vous dire, chef ?

— On vous a vu descendre à la Tombe avec un enfant, hier.

— Euh... c'était pour les besoins de l'enquête.

— Pour les besoins de l'enquête ? Vous vous foutez de moi, Grolar ?

— Oui... euh non. Je n'oserais jamais, chef.

La figure de son supérieur est passée du rouge tomate au cramoisi.

— Rédigez-moi un rapport sur-le-champ ou je vous saque, Grolar. Vous avez compris ?

— Calmez-vous, Lemègre. On ne s'entend plus travailler.

C'est le D^r McAbbey qui vient d'arriver derrière le commissaire, alerté par la voix de stentor de ce dernier. Sa main gauche tient un scalpel ; dans la droite gît le cœur qu'il vient de sortir d'un cadavre. En voyant l'organe, le commissaire se décompose. Il roule des yeux effarés, se met à suer à grosses gouttes.

— Que… Qu'est-ce que c'est que ça ? bredouille-t-il en désignant la masse molle et sanguinolente.

Le D^r^ McAbbey lui colle le cœur défunt sous le nez.

— Ça, c'est ce qui vous attend si vous ne surveillez pas vos accès de colère. Crise

cardiaque par rupture massive d'anévrisme. La mort est rapide, mais la douleur est atroce.

D'écarlate, le visage du commissaire vire au blanc.

— Je... je ne me sens pas très bien tout d'un coup.

— Effectivement, je vous trouve mauvaise mine. À votre place, j'irais m'allonger cinq minutes. On ne sait jamais.

— M'allonger ? Oui, oui, c'est ça. Excellente idée. J'y vais immédiatement. Vous pouvez compter sur moi, docteur.

Le commissaire file sans demander son reste.

— Tout va bien, Jules ? demande le Dr McAbbey à son ami une fois qu'ils sont seuls.

L'inspecteur Grolar hoche la tête, bouche bée.

— Cet hypocondriaque ne redescendra pas de sitôt.

— Merci, Tom.

— Pas de quoi. Je n'ai jamais supporté les teigneux. Ils me hérissent le poil. Toujours à s'en prendre aux plus faibles. S'il revient, faites-moi signe. Ce cœur n'est que de la gnognote à côté de ce que je peux lui montrer. La prochaine fois qu'il vous embête, je lui sors un foie cirrhotique. Je vous garantis qu'il en fera une jaunisse.

— Est-ce que l'inspecteur vient, aujourd'hui ?

Maman a lancé la question nonchalamment, mais je ne suis pas dupe. L'inspecteur Grolar lui plaît. Elle doit avoir un faible pour les hommes d'un bon gabarit.

— Il passera vers dix heures.

— Alors, j'ai le temps de préparer quelque chose.

Tandis qu'elle sort farine, sucre, lait, œufs et le reste, je descends nourrir la ménagerie.

Le nombre de pensionnaires a augmenté depuis peu. Certains propriétaires nous confient leur animal quand ils partent en vacances. Aujourd'hui, il y a Célimène, une belette, le boa Bob, qui doit bien peser dans les trente-cinq kilos, et Pedro, un ara au tempérament irascible qui débite constamment des grossièretés. Bob est le plus paisible. Une fois qu'il a avalé son rat, il passe la majorité de son temps endormi dans son vivarium, à digérer son repas. Célimène est très affectueuse et aime fouiner dans tous les coins quand je la sors de sa cage. Il faut la tenir en laisse, car Pedro lui tape sur les nerfs et j'ai le sentiment qu'elle lui volerait dans les plumes à la première occasion. Il est vrai que se faire traiter de « moumoune » ou de « troudu... » à longueur de journée ne concourt pas vraiment à l'entente cordiale.

Finalement, l'inspecteur Grolar se présente un peu plus tôt que prévu. Au moment précis, en fait (mais est-ce bien une coïncidence ?), où le dessert préparé par maman sort du four.

— Vous mangerez bien une gâterie avec nous, Jules ? roucoule-t-elle en coupant la tarte et en posant une assiette devant lui sans attendre sa réponse. Alors, comment progresse votre enquête ?

Le sourire qui éclaire le visage de l'inspecteur quand il voit la double portion qu'on lui octroie d'office illuminerait la ville entière. Ses explications nous parviennent entrecoupées de bruits de déglutition.

— Je puis vous affirmer, gloup, Isabelle, que l'enquête est sur le point gloup d'aboutir. Indu gloup bitablement. C'est ce que j'étais venu vous annoncer. Hier, en gloup effectuant des recherches sur Julien Sorel, j'ai gloup fait une découverte révélatrice. Figurez-vous gloup qu'il s'agit d'un ancien employé de la ville. Du service des parcs pour être gloup exact. Il a été congédié le quatorze juillet.

— Juste avant la mort du premier arbre ! s'exclame-t-elle

— Précisément. Mais il y a gloup plus. Je me suis renseigné auprès de ses gloup collègues. Sorel est une forte tête. Toujours à critiquer ses gloup patrons, à prendre la gloup mouche pour un oui ou pour un gloup non. Quand il a su qu'il était licencié, il a déclaré à qui gloup voulait bien l'entendre que c'était un complot, qu'on lui en gloup voulait personnellement, mais qu'il ne se laisserait pas faire et qu'il se gloup vengerait.

— La vengeance serait donc le mobile ?

— Indubitablement. Il s'occupait de l'élagage gloup. Il connaît donc très bien les arbres. Assez gloup en tout cas pour savoir comment les tuer gloup et mettre la municipalité dans l'embarras. Il n'y a aucun gloup doute là-dessus.

— Mon dieu ! Qu'allez-vous faire à présent ?

— Peut-être reprendre un morceau de tarte ?

Maman lui sourit.

— Après avoir découvert cela, hier, reprend l'inspecteur, je suis retourné interroger Sorel sur son emploi du temps ces dernières semaines. Le bougre a refusé de répondre à mes questions. Il clamait à grands cris son innocence, prétendait que c'était un coup monté, qu'on le harcelait, qu'il n'avait strictement rien à voir là-dedans et qu'il se plaindrait à son avocat. On aurait dit un cochon qu'on mène à l'abattoir. Excuse-moi, Libellule.

— Et alors ?

— J'ai appelé du renfort et je l'ai mis sous les verrous. Croyez-moi, une nuit en prison transforme les moins loquaces en moulin à paroles. D'ailleurs, je m'en vais recueillir ses aveux séance tenante. L'affaire est close à toute fin pratique. Indubitablement. C'est que ça ne traîne pas avec moi.

— Quelle histoire ! Vous nous tiendrez au courant, Jules ?

— Indubitablement. Gilles n'a qu'à venir me voir plus tard au commissariat. Je lui raconterai ce qui s'est passé.

— Bonne idée, approuve maman. Comme ça, je lui donnerai une douceur pour votre petit quatre-heures.

Flûte ! Au moment où l'enquête devient intéressante, la voilà qui se termine déjà. Ce n'est vraiment pas de chance.

N'ayant rien d'autre à faire, je décide d'amener Libellule dire bonjour à Mamie.

Curieuse coïncidence, en chemin, je croise monsieur Trigorine.

— Bonjour euh…Gilles, c'est ça ?

— Oui.

Il se penche pour tapoter la tête de Libellule.

— C'est un cochon vietnamien si je ne m'abuse ?

— Il s'appelle Libellule.

— Ha ! ha ! Ce nom lui va comme un gant. Dis donc, il me semble avoir vu l'inspecteur sortir de chez toi tout à l'heure ?

— Oui.

— Y a-t-il du nouveau ? A-t-on arrêté l'assassin ? Un autre arbre a-t-il été tué ?

— Non. Pourquoi ?

— Pour rien. Je demande ça simplement par curiosité.

Je n'aime pas sa manie de poser tout le temps des questions comme s'il cherchait à me tirer les vers du nez. Libellule n'a pas l'air de l'apprécier beaucoup lui non plus. Il n'arrête pas de grogner. Je décide de changer de sujet de conversation.

— Voyez-vous les planètes dans votre télescope ?

— Certainement. Vénus, Mars, Saturne et Jupiter. Sans compter les étoiles : Sirius, Véga, Polaris évidemment, mais aussi Aldébaran et Bételgeuse. Il y en a tant qu'on ne sait où regarder. Je ne m'en lasse jamais. Je les observe tous les soirs.

— Même quand il pleut ?

— Non, bien sûr. Si le ciel est couvert ou qu'il y a des nuages, c'est impossible. Bon, eh bien, j'y vais. Tu salueras l'inspecteur de ma part.

— Au revoir.

Il s'éloigne rapidement. Pourtant, un peu plus loin, il ralentit, jette un regard en coin à un arbre, traverse la rue et rentre chez lui.

Intrigué, j'attends qu'il ait disparu pour m'approcher de l'arbre à l'origine de ce comportement étrange. Je remarque immédiatement la bande claire. L'arbre a été amputé d'un collet d'écorce. La blessure est toute fraîche, car le bois luit encore de sève humide. L'arboricide a encore frappé et il l'a fait la nuit dernière.

— Grolar ! Dans mon bureau, indub… immédiatement !

Le commissaire Lemègre repose le combiné du téléphone si fort sur sa fourche que sa boîte de trombones saute en l'air et éparpille son contenu sur le sol. Il garde les yeux fixés sur sa montre pour calculer combien de temps son gros abruti de subordonné mettra à grimper du sous-sol au troisième. Les minutes s'égrènent et le commissaire en pianote la fuite du bout des ongles avec une impatience grandissante.

Le commissaire ne supporte pas qu'on le fasse attendre. Au bout d'un temps interminable, une masse sombre obscurcit le verre dépoli de la porte vitrée sur laquelle résonnent trois coups timides.

— Entrez ! tonne le commissaire.

La porte s'ouvre lentement, dévoilant le visage rougeaud de l'inspecteur qui sue à grosses gouttes.

— Asseyez-vous. Je ne vais pas vous manger, ça me resterait sur l'estomac.

L'inspecteur obéit, optant pour la chaise sans accoudoirs qui grince ses protestations.

Le commissaire joint les mains devant lui et sourit. « Le sourire d'un fauve qui s'apprête indubitablement à dévorer sa proie », ne peut s'empêcher de songer l'inspecteur.

— Alors, Grolar, fait le commissaire d'une voix mielleuse. Vous vous plaisez en bas ?

— C'est plus reposant qu'ici, chef.

— Bien, bien. Je suis content que vous aimiez ça. Et votre enquête, elle avance ?

— Indubitablement. Vous serez fier de moi, chef. Pour parler franc, je suis sur le point de la conclure. Nous tenons le coupable.

— Tiens donc. Et comment s'appelle ce zouave ?

— Sorel. Julien Sorel.

— C'est un nom assez commun tout de même.

— Comment cela, chef ?

— Il me semble qu'on le voit partout, ces temps-ci. Dans le journal, par exemple.

— Quel journal ?

— Celui de ce matin.

D'un geste théâtral, le commissaire abat un quotidien sur son bureau, juste sous le nez de l'inspecteur. La manchette clame, en gros caractères : « LE FRÈRE DU MINISTRE SOREL ARRÊTÉ ».

C'est l'éruption du Krakatoa, prise deux.

— Le maire raccroche à l'instant, hurle le commissaire. Le ministre l'a appelé pour se plaindre. Il se porte garant de son frère. Si vous n'avez aucune preuve contre lui, je vous ordonne de le relâcher dans la minute qui suit, Grolar. Sinon, je vous jure que je vous fais muter à Tombouctou. Chez les Canaques.

— Euh... les Canaques, ce n'est pas à Tombouctou, chef, c'est...

— Sortez ! Sortez et ne revenez me voir que lorsque vous aurez déniché le coupable. Le vrai.

Vers quatre heures trente, quand j'arrive au commissariat, je rencontre d'abord le Dr McAbbey dans l'escalier menant au sous-sol, où sont la morgue et les archives.

— Tu vas voir Jules, petit ? dit-il en m'accostant.

— Oui.

— Tant mieux. Je me fais du souci pour lui. Il n'a pas l'air dans son assiette.

— Il est malade ?

— Non, non. C'est ce pisse-vinaigre de Lemègre qui lui fait des misères. Il s'est juré de le mettre à la porte. Pourtant, Jules n'est pas si mauvais bougre. Un tantinet négligent, un peu distrait peut-être, mais bon comme le pain.

Là-dessus, il me laisse. Effectivement, l'inspecteur Grolar n'est pas dans une forme terrible. Lui si enjoué, si jovial, si volubile a maintenant l'œil terne et la mine basse de certains pensionnaires de maman. Même les gaufres qu'elle m'a chargé de lui remettre n'arrivent pas à le dérider.

— Qu'est-ce qui ne va pas, inspecteur ?

Un énorme soupir s'échappe de sa bouche.

— Je me demande si je suis vraiment fait pour le métier de policier.

— Pourquoi dites-vous ça ?

— J'ai dû relâcher Sorel. Il paraît que son frère est ministre. Ah ! elle est belle la justice. On la dit aveugle, mais elle soulève son bandeau dès qu'on lui présente quelqu'un de haut placé. Le coupable, c'est lui. Indubitablement. Tout l'accable : le motif, l'absence d'alibi, l'occasion, le moyen… On a trouvé un coutelas, une scie et un sécateur dans sa cave.

— Le D^{r} McAbbey dit…

— Que ce n'est pas l'arme du crime, je sais. Mais Sorel se sentait talonné. Il

s'en sera débarrassé avant son arrestation. L'arboricide et lui ne font qu'un. J'en mettrais ma main au feu.

L'inspecteur n'en démord pas.

J'essaie de lui montrer qu'il pourrait se leurrer, que le tueur pourrait être quelqu'un d'autre en lui exposant ma théorie.

Cette théorie, la voici : quel est le meilleur endroit où cacher une aiguille ou un bouton ou une allumette ? Dans un tas d'aiguilles, de boutons ou d'allumettes. Parmi les arbres morts, peut-être n'y en a-t-il qu'un qui compte. Les autres ne sont là que pour brouiller les cartes. Je lui répète ce qu'il a dit : « Trouver à qui le crime profite. »

— À part Sorel, je ne vois pas qui aurait intérêt à détruire un arbre, déclare-t-il.

— Pourquoi pas monsieur Trigorine ?

— Cet homme charmant ? Allons donc. Tu te trompes, indubitablement. Il ne ferait pas de mal à une mouche.

— L'astronomie le passionne.

— Où est le rapport ?

— L'arbre devant chez lui l'empêchait peut-être d'observer le ciel à cause des branches et des feuilles. En s'en débarrassant, le problème se trouve résolu.

— Hum ! Cela me paraît tiré par les cheveux, mais tu as raison. Il ne faut négliger aucune piste.

Nous retournons rue des Sycomores. En chemin, l'inspecteur m'explique comment il compte procéder.

— Sans mandat de perquisition, impossible de fouiller la maison. Nous userons donc d'astuce. Monsieur Trigorine est indubitablement un grand curieux. Il l'a prouvé avec ces questions qu'il n'arrête pas de poser. Pendant que je satisferai sa curiosité, tu inventeras un prétexte pour nous fausser compagnie et visiter discrètement les lieux. Ce n'est pas plus compliqué que ça.

Cinq heures sonnent quand nous frappons à la porte du suspect. Monsieur Trigorine est étonné de nous voir. Il a un sourire crispé.

— Inspecteur ! Gilles ! Que me vaut l'honneur...?

— L'enquête semblait vous intéresser, explique l'inspecteur, alors je me suis dit que vous seriez content d'en apprendre les plus récents développements.

Les traits de Boris Trigorine se détendent. Son sourire s'élargit.

— Vous êtes trop aimable. Entrez donc, nous serons plus à l'aise pour causer à l'intérieur.

Je laisse la conversation démarrer avant de demander à notre hôte où sont les toilettes. Une envie subite m'enjoint d'aller y faire un tour.

— Utilise celles du premier. Au rez-de-chaussée, elles sont inutilisables. Tu les trouveras en haut de l'escalier.

Je ne pouvais espérer mieux. Je le remercie puis je m'éclipse.

L'étage compte trois pièces et la salle de bains. La plus grande donne sur le devant, mais monsieur Trigorine ne s'en sert manifestement pas comme d'une chambre. Il en a fait un bureau doublé d'une bibliothèque. Je m'y engage sur la pointe des pieds. Heureusement, une épaisse moquette amortit le bruit de mes pas.

Le télescope trône au centre du balcon. En le voyant, je sais immédiatement que ma théorie ne tient pas la route. En effet, pointé vers le haut comme il est, l'instrument bénéficie d'un espace entièrement dégagé. Même si l'arbre avait encore ses feuilles, la vue du ciel serait excellente.

J'abandonne le télescope pour fureter autour de moi. Peut-être découvrirai-je autre chose. Le bureau ne présente rien d'intéressant, hormis un appareil photo et sa panoplie d'accessoires. Impossible d'entrer dans la deuxième pièce, elle est fermée à clé. La dernière est la chambre de monsieur Trigorine. Au-dessus du lit est tendu un grand drapeau rouge sur lequel apparaissent un marteau et une faucille. C'est celui de la défunte URSS.

Pas question de m'attarder davantage, on s'inquiéterait. Je gagne la salle de bains et tire la chasse d'eau pour donner le change puis je redescends, légèrement déçu.

C'est drôle parfois comme la simple vue d'un objet vous en fait remarquer d'autres qu'on n'avait pas notés avant. Depuis que j'ai découvert le drapeau, je me rends compte que monsieur Trigorine a un net penchant pour tout ce qui est soviétique : il y a un samovar, un buste de Lénine, une photo de la place Rouge, un bronze des emblèmes nationaux, des icônes, une bouteille de vodka… Je parie que la bibliothèque contient des ouvrages des grands auteurs russes. Sans doute monsieur Trigorine écoute-t-il Tchaïkovski en lisant Tolstoï.

L'inspecteur en est à raconter qu'il a dû relâcher monsieur Sorel faute de preuves. J'attends qu'il ait terminé pour poser ma question.

— Êtes-vous d'origine russe ?

— Ah ! Tu es un fin observateur. Pas du tout. La Russie est simplement mon dada. La période soviétique me passionne. Peut-être à cause des consonances slaves de mon nom.

— Bon, le temps file, intervient l'inspecteur. Nous allons vous laisser, monsieur Trigorine. L'heure du souper approche rapidement. Vous devez avoir un petit creux.

— Me tiendrez-vous au courant du dénouement de l'affaire ?

— Indubitablement.

— Surveille le ciel au cours des prochaines nuits, Gilles, me confie monsieur Trigorine en guise d'au revoir. Ce sont les Perséides. Il devrait y avoir beaucoup d'étoiles filantes.

— J'essaierai d'y penser.

Sitôt dehors, l'inspecteur me demande un compte rendu de mes investigations. Je lui avoue que j'ai fait chou blanc.

— Nous en revenons donc à la première hypothèse : le coupable est Julien Sorel, conclut-il.

Force m'est d'abonder dans le même sens, même si je persiste à croire le contraire.

Deux jours passent sans incident. L'enquête piétine. Le dernier érable attaqué achève son agonie parmi les feuilles qui s'étalent sur le sol, telle une mare de sang jaune. Avec ses branches nues griffant le ciel, on dirait un squelette qui maudit son sort.

Aujourd'hui, on ramasse les ordures. Les éboueurs ont déjà entamé leur ronde au bout de la rue quand je dépose le gros sac de plastique vert au bord du trottoir.

Des bruits attirent mon attention. On se dispute près du camion, quelques maisons plus loin. Il y a des exclamations, des cris, des protestations. Des silhouettes gesticulent avant d'en venir aux mains. C'est la bagarre. Quelques curieux sortent de chez eux pour mieux voir. Intrigué, je m'approche à mon tour. Des bribes de phrases parviennent à mes oreilles :

— ... chez ça immédiatement !

— Non.

— ... pas le droit, monsieur.

— ... rez que la police... tous les droits.

— ... ce que je lui dis, moi, à la police ?

— ... tention... faire arrêter pour outrage...

Cette voix, je la reconnaîtrais entre mille. Indubitablement. C'est celle de l'inspecteur Grolar.

L'inspecteur est aux prises avec un éboueur. Chacun tente de s'approprier un sac rempli d'ordures. Ce que veut en faire le second, je m'en doute, mais le premier ?

— Laisse tomber, Pitt. On a du boulot, intervient le collègue du col bleu.

Furieux, ce dernier pousse violemment le sac. L'inspecteur perd l'équilibre et tombe à la renverse sur le sol. Une pelure de banane, du marc de café, un bout de

fromage s'échappent par une fente et atterrissent sur sa figure que l'effort a rendue rouge tomate. Je m'empresse de l'aider à se relever tandis que repart le camion.

— Merci, dit-il en s'époussetant. Aide-moi à mettre ça dans la voiture, tu veux ?

La voiture, c'est la mini Cooper du Dr McAbbey. Le coffre étant trop petit, le sac et son contenu, d'où monte une odeur fétide, prennent place sur la banquette arrière. M'est avis que le Dr McAbbey devra bientôt faire désinfecter son véhicule. J'interroge l'inspecteur sur ses intentions.

— C'est une technique du Effe-Bille-Ail, m'explique-t-il. Quand on ne peut pas perquisitionner chez un malfaiteur, on attend qu'il sorte ses ordures. Dès qu'elles sont sur le trottoir, elles deviennent propriété publique. Tu n'imagines pas tout ce qu'on trouve là-dedans.

Si, j'imagine très bien au contraire.

Colis chargé, l'inspecteur me souhaite au revoir et s'en va. Le départ de la voiture amorce celui des curieux parmi lesquels se trouve monsieur Trigorine. Il observe la scène un grand sourire aux lèvres comme si tout cela l'amusait. Je n'aime pas cette attitude.

— Alors, Gilles, as-tu vu beaucoup d'étoiles filantes, hier ?

— J'ai oublié de regarder. J'ai d'autres choses en tête.

— Dommage, la pluie de météorites était fantastique. Un vrai feu d'artifice. Il n'y avait qu'à lever la tête pour en voir des centaines.

Là-dessus il repart en sifflotant.

— Quel vantard ! fait une voix derrière moi.

C'est le père Ubu qui vient de parler.

— Pourquoi dites-vous ça ?

— C'est vrai que les météorites étaient nombreuses cette année, mais pour les voir, il fallait aller pas mal loin. En ville, il y a trop de lumière. On n'aperçoit même pas l'étoile Polaire.

L'inspecteur Grolar empoigne le sac d'ordures à bras-le-corps. Son intention est d'en inventorier le contenu tranquillement dans son bureau. À la Tombe, personne ne le dérangera dans cette activité peu ragoûtante. Et s'il met la main sur un indice, il n'aura qu'à traverser le couloir pour le remettre au Dr McAbbey, qui l'analysera.

Ça, c'est la partie simple.

La partie compliquée, c'est de se rendre à la Tombe.

Pour cela, il faut gravir le perron, franchir la double porte du poste de police, traverser le corridor jusqu'à l'escalier de service et descendre les deux volées de marches de l'étroit escalier donnant accès au sous-sol.

Normalement, l'inspecteur effectue le trajet sans même y penser, mais il est rare qu'il étreigne un sac d'ordures l'empêchant de voir devant lui.

Pénétrer dans le bâtiment s'effectue sans trop de mal, encore que la première porte rabat brutalement l'inspecteur sur la seconde, écrasant le sac qui se fend avec un « ouf » de protestation. La suite du parcours s'avère plus périlleuse. En effet, la panse de détritus menace à tout moment de répandre ses entrailles puantes sur le carrelage. Pourtant, l'inspecteur est sur le point de réussir. Quelques pas encore et il s'enfoncera dans les profondeurs du poste de police.

C'est compter sans le hasard et son sens de l'ironie.

Un obstacle empêche soudain l'inspecteur de poursuivre sa route.

— Je flaire une « grolardise » et elle ne sent pas bon, gronde une voix que l'inspecteur ne connaît que trop bien. Qu'est-ce que c'est que ça ?

— Euh… des ordures, chef.

— Je vois bien que ce sont des ordures, mais que font-elles ici ? Vous avez un creux ?

— Non, chef. J'ai bien mangé. C'est une technique du Effe-Bille-Ail.

— Le FBI ? Où vous croyez-vous, Grolar ? Dans un cirque ? Dans un zoo ? Dans un film ?

À chaque interrogation, le poing du commissaire s'enfonce dans l'outre de plastique déjà mise à rude épreuve. L'inspecteur tente de lui dire qu'il prenne garde, cependant le mal est fait. La loi de la gravité aidant, un objet plus lourd migre au fond du sac et appuie sur la fragile membrane. Un nouveau coup et c'est la catastrophe. L'objet perce le plastique et atterrit sur les chaussures du commissaire, entraînant avec lui une avalanche d'immondices.

L'inspecteur ignore si c'est la douleur ou la surprise qui fait hurler le commissaire. Toutefois, une chose est sûre : ce qui vient de se ficher dans le pied de son

supérieur est l'arme du crime. Indubitablement.

— Arrêtez de gémir ou je vous envoie à l'hôpital !

Le commissaire Lemègre serre les dents tandis que le D^r McAbbey retire la serpe dont la pointe acérée a percé le cuir des chaussures pour s'enfoncer dans la chair qui s'y cache. Angoissé, le commissaire assiste au dénudement de son membre inférieur. À la vue de la mare, du lac, de l'océan de sang dont le dos de son pied est couvert, il ne peut réprimer un frisson. Le « mmh » dubitatif du D^r McAbbey fait monter sa tension d'un cran.

— Qu'y a-t-il ? C'est grave ?

— Si la gangrène ne s'installe pas, je devrais pouvoir sauver le genou, répond le légiste impavide.

À ces mots, le commissaire se sent défaillir.

— Allons, ressaisissez-vous. Je vous tire la pipe. C'est plus impressionnant qu'autre chose. La coupure est superficielle. Le soulier a amorti le choc. De la teinture d'iode, un pansement et on n'en parlera plus. Attention, ça pique.

Une sensation de brûlure irradie du pied au cerveau du commissaire, faisant grincer ses dents au passage.

— Cet abruti de Grolar. Je vais me le…

— Si vous vous énervez, la blessure va se rouvrir et je ne garantis rien. Il y a tellement de bactéries résistantes aux antibiotiques de nos jours. Qui sait si vous n'en avez pas reçues quelques-unes qui adorent la teinture d'iode sur le pied ? Du calme et du repos, voilà ce qu'il vous faut. Surtout aucun énervement le temps que cela se cicatrise. Ordre du médecin.

— Alors, il vaut mieux que je prenne congé. Ici, tout m'énerve.

— Excellente idée. Allez siroter une camomille dans votre fauteuil préféré. D'ici un jour ou deux, ce ne sera plus qu'un mauvais souvenir.

Le Dr McAbbey abandonne le commissaire à ses angoisses épidémiologiques pour retourner au Frigo où l'attend l'inspecteur.

— Comment va-t-il ? demande celui-ci.

— Il survivra mais, à votre place, j'éviterais de croiser sa route quelque temps. Montrez-moi ce que vous avez déniché.

L'inspecteur lui tend l'objet. Du sang en brunit l'extrémité effilée. Le Dr McAbbey s'en empare délicatement, l'examine sous tous les angles. Avec une paire de pincettes, il détache un filament collé au métal. De l'écorce.

— On dirait que vous avez décroché le gros lot. Je vais prendre les empreintes, on verra bien ce que ça donnera.

Le légiste pulvérise un produit sur le manche. Des traces de doigts apparaissent. Il les prélève avec une sorte de papier collant.

— Ne reste plus qu'à numériser. L'ordinateur dira si leur propriétaire est fiché.

Quinze minutes s'écoulent durant lesquelles l'inspecteur maîtrise mal son impatience.

— Alors ? interroge ce dernier quand le D^r McAbbey revient une feuille de papier à la main.

— J'ai une bonne et une mauvaise nouvelle pour vous. La bonne c'est que ceux qui ont laissé des empreintes sont connus de la police.

— Et la mauvaise ?

— C'est que le premier s'appelle Grolar et le second McAbbey.

J'ai vérifié l'affirmation du père Ubu en posant la question par courriel au planétarium de Marieville. Effectivement, pour bien voir les étoiles, il faut se rendre à la campagne. En ville, avec les lampadaires, les enseignes au néon, l'éclairage des maisons, c'est impossible. On appelle ça de la pollution lumineuse. Donc monsieur Trigorine a menti. Même si l'astronomie le passionne, il ne peut observer le ciel de son balcon. À quoi sert son télescope dans ce cas ?

L'inspecteur Grolar nous rend visite en fin d'après-midi pour nous faire part des résultats de son opération ordurière et dévorer trois ou quatre pointes de tarte aux prunes par la même occasion. Maintenant qu'il possède l'arme du crime, obtenir un mandat pour arrêter Julien Sorel sera un jeu d'enfant. Même son ministre de frère ne pourra rien y faire. Le bougre est bon pour la prison.

Maman mentionne son espoir que la conclusion de cette triste affaire n'empêchera pas l'inspecteur de revenir rendre honneur à sa cuisine. Quand elle le raccompagne à la porte, elle pousse l'audace jusqu'à l'embrasser sur la joue. L'inspecteur bafouille un au revoir avant de s'en aller plus rouge qu'un camion de pompiers.

Je suis d'humeur maussade. L'enquête terminée, à quoi vais-je consacrer mes journées ? J'ai pris goût à cette activité. Et puis, l'inspecteur Grolar et le D[r] McAbbey me sont sympathiques. Le train-train de la vie quotidienne paraîtra vraiment terne jusqu'à la rentrée scolaire. Prendre soin des animaux, c'est bien, mais c'est loin d'être aussi palpitant que suivre la piste d'un criminel.

Pour me changer les idées, je sors avec Libellule. Nous remontons la rue jusqu'au coin puis, de là, celle des Sassafras et celle des Micocouliers jusqu'à *La coque de noix* où je m'offre un sac de pistaches. Peut-être à cause de l'inspecteur. Il les aime tant qu'en manger me donne un peu l'impression d'être avec lui. En rebroussant chemin, je m'arrête au carrefour, là où toute cette histoire a commencé. Les idées ailleurs, je contemple distraitement la rue en croquant les noix. Et puis, un déclic se fait dans ma tête, comme si la dent d'un engrenage venait d'enclencher un mécanisme ou qu'une pièce, en se logeant dans le bon orifice, avait permis aux autres de se mettre en place. Bref, ma conscience s'éclaire et mes yeux s'ouvrent. Comment ai-je pu ne pas m'en rendre compte avant ? Droit devant moi s'alignent les érables. Les arbres morts sont éparpillés un peu partout sauf deux. Deux qui se font face.

— Julien Sorel, je vous arrête au nom de la loi.

— Mais vous êtes complètement fou. Lâchez-moi, vous entendez ? Lâchez-moi immédiatement ou j'appelle la pol… ou vous aurez de mes nouvelles.

Monsieur Sorel a beau se démener et protester, les policiers l'entraînent, menottes aux poings, sous l'œil satisfait de l'inspecteur.

Conduit au poste *manu militari*, il y est écroué dans une cellule en compagnie d'autres personnes à la moralité douteuse.

— J'ai droit à un avocat, vocifère-t-il. Laissez-moi appeler mon avocat.

L'inspecteur le laisse s'époumoner. Une fois calmé, le bonhomme sera plus conciliant. Qui sait ? Il passera peut-être de lui-même aux aveux.

Dans l'intervalle, l'inspecteur décide de se payer un chocolat chaud. Généreux, il en commande un deuxième afin de l'offrir à son ami, le Dr McAbbey qu'il retrouve au Frigo, les yeux vissés à son microscope.

Le légiste examine justement l'arme de l'arboricide.

— Je vous ai apporté un chocolat, déclare l'inspecteur en posant le gobelet sur la table.

— C'est trop gentil, merci.

— Que faites-vous ?

— Quelque chose m'intriguait, déclare le médecin en se redressant. Vous voyez là ?

Il désigne un point sur le manche de la serpe.

— La petite bosse ?

— Oui, on dirait une imperfection. Comme si le métal a été mal façonné. En fait il y en a deux. Ici et là.

— C'est important ?

— Je ne sais pas encore.

— Mais il s'agit bien de l'arme du crime ?

— Aucun doute là-dessus. J'ai trouvé des traces de sève sur la lame et le copeau qui y était collé est un fragment d'écorce.

— Parfait, c'est plus qu'il n'en faut pour confondre le coupable.

L'habitation où le dernier arbre a été assassiné fait face au numéro trente et

un. La demeure de monsieur Trigorine ! Coïncidence ? Je ne crois pas. Après vérification de la liste électorale, j'apprends qu'elle appartient à un certain Lantier. Auguste Lantier. Quel lien y a-t-il entre les deux ? Car il y en a un, j'en suis persuadé.

J'aurais aimé approfondir sur-le-champ la question, mais une urgence m'en empêche.

Le propriétaire d'un python sonne à la porte, affolé. Son serpent chéri a avalé la pantoufle en forme de lapin de sa fille. Sans intervention immédiate, l'animal risque la mort par étouffement. Maman me demande de l'assister et l'opération se termine trop tard pour que je reprenne l'enquête. Enfin, le principal est que l'animal soit sauf (le python porte le nom étrange de Tétatilotétatou).

Cela pour dire que sitôt le petit déjeuner expédié le lendemain, je mets Libellule en laisse et file du côté de chez monsieur Trigorine.

Le hasard fait parfois bien les choses.

Au moment où j'arrive, une dame sort du trente-huit, de l'autre côté de la rue. Jolie, dans la vingtaine, tirée à quatre épingles. J'en profite pour l'accoster.

— Excusez-moi, madame, est-ce que je pourrais vous poser une question ?

Elle s'arrête, me sourit aimablement.

— Bien sûr, qu'est-ce que tu aimerais savoir ?

— Connaissez-vous monsieur Trigorine ?

— Trigorine ? Non, ce nom ne me dit rien. Qui est-ce ?

— Votre voisin d'en face.

— Je ne connais pas beaucoup de gens dans le quartier. Pour te dire, je ne vis ici que depuis un mois et demi, et encore, pas très souvent, car je suis hôtesse de l'air et je voyage beaucoup. Mon oncle m'a prêté la maison quand on m'a mutée à Marieville, le temps que je trouve un logement. Je m'appelle Anna Carréninne. Et toi ?

— Gilles Jourdan. J'habite un peu plus loin. Ma mère est vétérinaire.

— Je comprends mieux le cochon alors. Eh bien, heureuse d'avoir fait ta connaissance, Gilles. Tu me pardonneras, mais j'ai un avion à prendre. À un autre jour peut-être ?

— Oui.

— Bonne journée.

— Au revoir.

Je ne sais pas pourquoi, mais avant qu'elle disparaisse, je lui lance :

— Madame ! Carréninne, est-ce que c'est un nom russe ?

Elle se retourne, l'air surpris.

— Russe ? Non, plutôt italien, je crois. Pourquoi ?

— Juste pour savoir. Bonne journée.

— Bye.

Ce matin, l'inspecteur Grolar arrive tout guilleret au travail. Dans peu de temps, la triste affaire de la rue des Sycomores sera classée et le coupable sous les verrous. Le commissaire sera fier de lui.

Justement, quand on parle du loup…

Dans le vestibule du poste de police, l'inspecteur bute sur le commissaire Lemègre. Le pauvre ne semble pas en forme : il a le teint brouillé, les yeux pochés, le sourire défunt, la démarche lourde et le regard destructeur.

— Comment va votre pied, chef ? se hasarde l'inspecteur qui se fait du souci pour son supérieur.

— Il ira mieux dès que je pourrai vous le coller au derrière, Grolar. Où en est votre enquête ?

— Elle avance, chef. Je suis même sur le point de la clore. Indubitablement.

— Enfin une bonne nouvelle. J'espère que c'est du sérieux, cette fois. Je ne supporterais pas une bourde de plus. Vous m'entendez ? Donnez-moi du solide. Une accusation qui se tient, avec preuves à l'appui. Pas quelque chose qui tournera en eau de boudin au premier contre-interrogatoire venu. Sinon, zou ! à la porte. Vous avez compris, Grolar ? Inscrivez ça dans votre caboche. Pas de nouveau fiasco à la Sorel. Est-ce clair ?

Anna Carréninne a emménagé il y a environ six semaines, peu avant le moment où l'on a commencé à tuer les arbres. Il y a sûrement un lien. C'est pour essayer de le découvrir que je sonne chez monsieur Trigorine.

Celui-ci n'a pas l'air enchanté de me voir. Il jette des regards inquiets dans mon dos.

— Bonjour, mon garçon. L'inspecteur est avec toi ?

— Non, je suis venu tout seul.

— Que veux-tu ?

— J'aurais aimé en apprendre davantage sur la Russie.

À ces mots, son visage s'illumine.

— La Russie ! Certainement. J'ai toujours du temps pour parler de la Russie. Entre, mais laisse ton cochon dehors. Je viens de nettoyer.

J'attache Libellule à la rambarde du perron et suis monsieur Trigorine à l'intérieur. Il m'entraîne au salon. Dans l'âtre ronfle un feu. Pourtant, nous sommes en plein été et le bulletin météo annonce près de vingt-cinq degrés. Monsieur Trigorine désigne un siège

— Qu'aimerais-tu savoir ?

— Euh… parfois on dit la Russie, à d'autres moments l'Union soviétique. Je m'y perds.

— Ah ! Eh bien, ce n'est pas la même chose. Je vais t'expliquer.

Monsieur Trigorine me donne un cours d'histoire accéléré. Il parle des tsars, de la révolution, de l'avènement du communisme, de Lénine et de Staline, de la Seconde Guerre mondiale, de la transformation de la sainte Russie en Union des républiques socialistes soviétiques, de la guerre froide puis de la chute du régime, du fractionnement de l'URSS et de la renaissance des pays qui la composaient. Aussi instructif que soit son exposé, je l'écoute d'une oreille distraite, mon cerveau cherchant les questions que je pourrais lui poser pour l'amener à se trahir.

Au terme de sa leçon, monsieur Trigorine me demande si j'aimerais boire quelque chose. Un jus d'orange peut-être ? J'accepte volontiers. Il quitte le salon pour aller à la cuisine. Dans l'intervalle, je regarde attentivement autour de moi. Mes yeux se posent sur le foyer. Le feu se meurt. Ne restent que des cendres et un bout de bois qui, plus long ou mal placé, a glissé hors de l'âtre. Une seule extrémité est carbonisée. Il s'agit d'un morceau rond, verni, auquel en est fixé un second, de forme triangulaire. J'ai déjà vu ce genre d'assemblage mais où ? Je m'en empare pour l'examiner de plus près. On dirait… on dirait… Je creuse ma cervelle avec une excavatrice. On dirait… oui ! Ça y est ! On dirait un bout d'échasse. Et quoi de mieux qu'une paire d'échasses pour atteindre le collet d'un arbre quand on est trop petit ?

— Comme ça, tu aimes fouiner dans les affaires des autres, hein ? gronde la voix de monsieur Trigorine derrière moi.

— Avouez, Sorel. Indubitablement, c'est votre meilleure chance.

— Mais avouer quoi, bon dieu ? Depuis hier, je m'évertue à vous dire que je n'y suis pour rien. Les arbres, ce n'est pas moi. Si j'avais voulu me venger, c'est à celui qui m'a flanqué à la porte que je me serais attaqué, pas à des arbres. Qu'est-ce que je dois faire pour que vous me croyiez ? Passer au détecteur de mensonges ?

L'inspecteur Grolar a affaire à un coriace. Même la nuit passée en cellule ne l'a pas ébranlé. Il persiste à clamer son innocence.

— Vous ne vous en tirerez pas si facilement, Sorel. Et ne comptez plus sur votre frère pour vous tirer d'embarras. Cette fois, les preuves sont contre vous.

— Les preuves ? Quelles preuves ?

— Celle-ci.

Pour déstabiliser un criminel récalcitrant, rien de tel qu'une bonne mise en scène. D'un geste théâtral, l'inspecteur Grolar sort la serpe, la lève bien haut et l'abat violemment pour qu'elle se fiche dans le bois de la table. Le hic est que la table n'est pas en bois, mais en métal. Il y a un « clang » sonore et l'onde de choc remonte la main puis le bras de l'inspecteur jusqu'à l'épaule. C'est si douloureux qu'il lâche l'instrument, dont s'empare aussitôt Julien Sorel. Horreur ! Les rôles sont inversés. C'est le criminel qui est armé et le policier, désarmé. Par bonheur, Julien Sorel se montre raisonnable. Au lieu d'utiliser son arme pour prendre l'inspecteur en otage, il l'examine sous tous les angles.

— Qu'est-ce que c'est que ça ?

— L'arme du crime. La serpe avec laquelle vous avez trucidé ces pauvres arbres sans défense, répond l'inspecteur en s'empressant de reprendre possession de l'instrument.

— Impossible. Et puis, vous vous trompez. Techniquement, ce n'est pas une serpe, c'est une faucille.

— Je ne fouine pas. Ce bout de bois est tombé du foyer. Je voulais juste le remettre dans le feu.

— Eh bien, qu'est-ce que tu attends, alors ?

Je m'exécute à contrecoeur. Les flammes ont vite fait de s'emparer de la preuve pour la consumer. Bientôt, il n'en restera rien qu'un petit tas de cendres. Elle se sera littéralement évanouie en fumée.

Monsieur Trigorine me tend un verre et se rassied. J'avale deux ou trois gorgées en me demandant quoi faire. Continuer ou partir ? Le danger est réel, car je sens monsieur Trigorine qui se méfie. Finalement, c'est lui qui m'évite un choix difficile.

— Tu connais la dame avec qui je t'ai vu parler tout à l'heure ?

— Madame Carréninne ?

— Karénine ! Je le savais ! C'est elle. C'est bien elle. Après tant d'années. La dynastie va enfin renaître.

De quoi parle-t-il ?

Le regard de monsieur Trigorine est devenu étrangement lumineux. Une sorte de frénésie s'empare de lui.

— Je l'ai immédiatement reconnue quand elle est arrivée, tu comprends ? Je n'en croyais pas mes yeux, mais... Attends, tu constateras par toi-même.

Il s'empare du livre posé sur la table de salon, l'ouvre, le feuillette fébrilement, le tourne vers moi en tapant du doigt une illustration.

— Regarde. Regarde et ose dire que je me trompe.

Plusieurs photos occupent la page. De vieux clichés sépias. Celui qu'il indique montre une adolescente. Qu'elle est le sosie d'Anna Carréninne saute immédiatement aux yeux. Sous la photo, une légende précise : La grande duchesse Anastasia Nicolaevna Romanoff, fille de Nicolas II, dernier tsar de Russie, 1901-1918.

— C'est vrai, elle lui ressemble, mais…

— Mais quoi ? jappe monsieur Trigorine.

— Les dates indiquent qu'Anastasia est morte en 1918. Comment pourrait-il s'agir de madame Carréninne ?

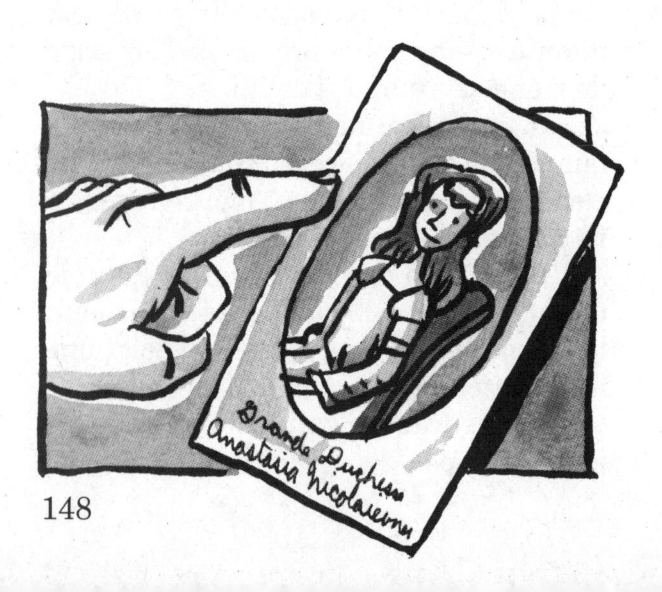

— Une faucille, une serpe, c'est du pareil au même. Indubitablement.

— Pas du tout, pas du tout. C'est totalement différent, au contraire, proteste Julien Sorel. Et je m'y connais. C'est mon métier. Autrefois, on se servait effectivement d'une serpe pour élaguer les arbres, mais sa lame est beaucoup plus large et robuste. Celle-ci est trop mince, trop fine. Tout juste bonne à couper l'herbe. C'est une faucille. Et encore. Une imitation de faucille.

— Une imitation ? Comment ça ?

— D'habitude les deux viennent avec un manche en bois arrondi et poli qui tient bien dans la main. La lame est forgée en une seule pièce pour une plus grande solidité et on en fiche la queue triangulaire profondément dans le manche. Or, ici, regardez... Manche et lame sont solidaires. Ils sont tous les deux en métal. À dire vrai, ce n'est pas une faucille, c'est la reproduction en bronze d'une faucille. On en a simplement affûté la lame pour qu'elle soit plus tranchante.

La reproduction en bronze d'une faucille. Les mots résonnent dans la tête de l'inspecteur. Il a vu une telle reproduction il n'y a pas longtemps, mais où ?

— Et ça, qu'est-ce que c'est ? demande l'inspecteur en indiquant les imperfections remarquées la veille par le D^r^ McAbbey.

Julien Sorel tâte les aspérités sur le faux manche.

— On dirait des points de soudure. Est-ce que cet objet était fixé à un autre ?

Le marteau ! L'inspecteur se souvient enfin. Le marteau et la faucille en bronze ! Ils ornaient le manteau de cheminée dans le salon de monsieur Trigorine.

Les yeux de monsieur Trigorine brillent toujours. Cependant ce n'est pas la joie qui les embrase, c'est la folie.

— Tu es bien comme les autres, grondet-il en m'agrippant par le bras. Anastasia n'est pas morte. Elle a été sauvée *in extremis* par un soldat qui a eu pitié d'elle et l'a soignée avant d'organiser sa fuite en Roumanie.

J'essaie de le ramener à la raison.

— Même si on l'avait sauvée, elle aurait cent cinq ans aujourd'hui. Ce ne peut être madame Carréninne. Elle est beaucoup trop jeune.

— Tu n'as jamais entendu parler du clonage, petit imbécile ? Quand elle a émigré aux États-Unis, en 1969, Anastasia a épousé un magnat de la finance. Il a congelé son corps quand elle était au seuil de la mort dans l'espoir que la science la fasse revivre un jour. Eh bien, ce jour est arrivé. On a déjà cloné un mouton et un chien à partir d'une simple cellule. Maintenant, c'est au tour des êtres humains.

— Pourquoi la faire revivre, en supposant que ce soit possible ?

— Décidément, tu es plus bête que je pensais. Pour l'argent, évidemment. Elle est la descendante directe du tsar. La Russie et ses richesses lui appartiennent. Tu comprends ? Elle peut tout réclamer. Tout. Rien qu'au musée de l'Hermitage, il y en a pour des milliards. Et c'est moi qui l'ai découverte. Moi seul. Avec mon télescope, j'ai pris des tas de photos qui prouvent que j'ai raison : Anastasia buvant son café, Anastasia regardant la télévision, Anastasia faisant sa toilette, Anastasia dans son lit, à table, debout, assise... Les journaux du monde entier s'arracheront mes photos. Ils me paieront une fortune pour les publier. Une fortune. Et puis, quand Anastasia sera remontée sur le trône de la Sainte Russie, elle me remerciera en me nommant à un poste de confiance. Peut-être celui d'historien royal.

— Vous êtes fou.

— Aaaaah ! Voilà un mot que tu ne répéteras plus jamais.

La faucille appartient à monsieur Trigorine. Il a dû la cacher dans le sac à ordures de Julien Sorel pour le faire accuser à sa place. Un fieffé coquin ! Gilles avait raison depuis le début. Indubitablement, l'inspecteur s'est trompé sur toute la ligne. Mais il n'est pas trop tard pour réparer cette bévue.

Sous le regard éberlué de Julien Sorel, l'inspecteur Grolar se dresse sur ses courtes pattes et quitte la salle d'interrogatoire en courant. Une unique pensée l'occupe : arrêter le coupable avant qu'il ne commette un autre crime ou s'évanouisse dans la nature.

L'inspecteur grimpe les marches de l'escalier quatre à quatre (enfin, plutôt une à une mais très vite), débouche au rez-de-chaussée tel un diable essoufflé hors de sa boîte et fonce – une deux une deux – vers la sortie.

— Où courez-vous comme ça, Grolar ? fait le commissaire en l'interceptant.

L'inspecteur le pousse si brutalement que son supérieur tombe à la renverse.

— Pas le temps... pff pff... de vous expliquer... pff pff...

Par bonheur, l'inspecteur a encore les clés de la voiture du D[r] McAbbey. Il s'y engouffre, s'escrime avec la ceinture de sécurité, étouffe le moteur une ou deux fois en essayant de le mettre en marche, démarre finalement sur un grincement de

l'embrayage. Ça y est ! Il est en route. Le problème est que l'automobile du brave docteur n'est pas équipée de l'attirail du parfait petit policier. Pas de sirène ni de gyrophare donc. Pour parvenir plus vite à destination, l'inspecteur est contraint de brûler quelques stops, de griller quelques feux rouges, de raser d'un peu près quelques piétons. Il y a des crissements de freins, des froissements de tôle, des hurlements de rage. Bref, il est loin de passer inaperçu. Le bruit de sirène qui se rapproche le confirme. La cavalerie sonne la charge pour rattraper le chauffard. Tant mieux, il aura probablement besoin de renforts.

La voiture débouche rue des Sycomores. L'inspecteur évite de justesse un camion arrivant en sens inverse et s'arrête en double file devant la maison de monsieur Trigorine. L'inspecteur doit encore combattre la ceinture qui refuse de le relâcher puis s'extirper de l'habitacle décidément trop exigu pour une personne de sa corpulence avant de s'élancer sur le trottoir et de franchir la grille du jardinet.

L'inspecteur ne va pas plus loin.

Le spectacle qu'il découvre le cloue sur place : attaché à la balustrade du perron, Libellule lui jette un regard interrogateur de ses petits yeux noirs de porcin.

— Lâchez-moi, vous me faites mal.

Monsieur Trigorine me tire sans ménagement. J'ai beau me débattre, donner des coups de poing et de pied, pas moyen de me libérer. Malgré sa petite taille, il est plus fort que moi. Je me retrouve bientôt dans la pièce du haut faisant office de bureau. Monsieur Trigorine me jette dans le fauteuil en cuir et, plus vif que l'éclair, plonge la main dans un tiroir pour en sortir un pistolet.

— Qui t'envoie ? La Tchéka ? Le KGB? Le Komintern ? Parle. Vite. Ma patience est à bout.

Des coups résonnent subitement à la porte, en bas.

— Police. Ouvrez indubitab... euh immédiatement.

La voix de l'inspecteur Grolar !

— Vous devriez détruire vos documents avant qu'on les découvre.

Cette phrase est sortie toute seule de ma bouche. Sans doute l'ai-je entendue au cinéma ou à la télé. Toujours est-il qu'elle a son petit effet. Le regard de monsieur Trigorine se trouble. Il baisse son

arme et se met à ramasser fébrilement des papiers.

— Oui, oui. Tu as raison. Détruire les documents. C'est le plus urgent. Sans eux, la police ne pourra rien. Je ne veux pas me retrouver à la Loubianka.

Le bruit d'une porte qu'on enfonce parvient jusqu'à nous. S'y ajoute en fond sonore celui de sirènes qui se rapprochent. Puis on crie mon nom à plusieurs reprises et quelqu'un gravit pesamment l'escalier. Lorsqu'il voit l'inspecteur Grolar s'encadrer dans le chambranle, monsieur Trigorine renonce à son plan initial pour me prendre en otage.

— Grolar, plus un geste ou j'abats le petit.

Le canon de son pistolet est posé sur ma poitrine, exactement là où le cœur bat.

— Trigorine, n'aggravez pas votre cas. Baissez cette arme avant qu'il y ait un accident.

— C'est moi qui décide ici. Sortez et dites à vos sbires du KGB d'en faire autant.

— Mes sbires ? Le KGB ?

Monsieur Trigorine doit parler des policiers qui viennent de faire irruption dans la maison et grimpent prudemment l'escalier.

— Obéissez, Grolar ou je ne réponds pas de mes actes… aïïïïïe !

Le pistolet ne me vise plus. J'ignore qui, mais quelqu'un a détaché Libellule, qui a volé à ma rescousse, tel un chien fidèle. De ses dents pointues, il a agrippé le mollet du dément et refuse de le laisser aller. La surprise et la douleur suffisent pour que le forcené lâche son arme.

Le reste se déroule très vite.

Des policiers surgissent, veulent se saisir de l'inspecteur qui les arrête en leur présentant sa carte d'identité. Ils s'emparent de monsieur Trigorine à la place. Puis ils le menottent et l'emmènent après avoir réussi à détacher Libellule de son mollet sanguinolent. L'inspecteur, rayonnant, donne des ordres. Le calme revient avec le départ des policiers et de l'arboricide.

— Tu vas bien ? me demande l'inspecteur une fois le calme revenu dans l'habitation.

— Oui.

— À présent, il faut que tu m'expliques ce que tu fabriques ici et ce que monsieur Trigorine voulait dire avec ses sbires du KGB parce que là, je n'y comprends plus rien. Indubitablement.

ÉPILOGUE

Deux semaines ont passé et la rue des Sycomores a retrouvé sa tranquillité d'antan. Les arbres morts ont été coupés, débités et remplacés par de plus jeunes. Monsieur Trigorine n'a pas été incarcéré à la Loubianka, la terrible prison du KGB d'où l'on ne sortait le plus souvent que les pieds devant, comme il le redoutait, mais interné dans un hôpital psychiatrique. Sa passion pour la Russie lui aura coûté la raison. Anna Carréninne a repris l'avion pour une destination inconnue. Elle ignore toujours qu'elle pourrait être le clone d'Anastasia Romanoff, tsarine de toutes les Russies ; les journaux à potins aussi. Le pied du commissaire Lemègre va mieux, mais ce dernier éprouve plus de difficulté à s'asseoir depuis qu'il s'est fêlé le coccyx en tombant. Il garde l'amabilité d'une porte de prison. Le D^r^ McAbbey a fait réviser et nettoyer sa voiture, mais a refusé que l'inspecteur Grolar en assume les frais. Il y a longtemps qu'il ne s'était autant amusé. Bien que le consul de Belgique ait fini par raser sa moustache, Mamie ne lui a pas encore donné le baiser dont il rêve. Libellule a eu droit à tout un sac de carottes pour m'avoir sauvé la vie. De nouveaux animaux ont emménagé dans les cages au sous-sol.

Voilà, c'est tout.

Ah non, j'allais oublier le plus important.

Ce matin, maman s'est levée très tôt. Elle a cuit une grande tarte au riz qu'elle a saupoudrée de sucre en poudre puis mise à refroidir sur la table. Ensuite elle a pris une douche, a enfilé sa plus belle robe et s'est pomponnée. Maintenant elle attend dans la cuisine, les joues rougies par l'impatience. Je me demande bien pourquoi. Mais je suis sûr que vous l'avez deviné. Indubitablement.

UN MOT ET UNE RECETTE

Un mot sur Anastasia Nicolaevna Romanova

Quatrième fille de l'empereur Nicolas II, dernier tsar de Russie, et de l'impératrice Alexandra Feodorovna, la grande-duchesse Anastasia naît à Saint-Pétersbourg le 18 juin 1901. Lorsque la révolution éclate et sonne le glas du régime impérial en 1917, les Communistes incarcèrent Nicolas II et sa famille à Iékaterinbourg où, dans la nuit du 16 au 17 juillet 1918, ils sont froidement assassinés par un groupe de bolcheviks.

Là débute la légende.

Anastasia aurait survécu au massacre grâce aux bijoux cousus dans sa robe sur lesquels auraient ricoché les balles. Protégée par les corps de sa sœur et de son frère, la jeune fille aurait aussi échappé aux coups des baïonnettes. Les bolcheviks n'ayant pas vérifié si elle était morte, un soldat aurait entendu ses gémissements et, prenant pitié d'elle, l'aurait sauvée avant de s'enfuir en sa compagnie pour Bucarest, capitale de la Roumanie, où il l'aurait épousée et eu d'elle un enfant.

Plusieurs personnes, par la suite, prétendirent être la grande-duchesse Anastasia, la plus célèbre se nommant Anna Anderson.

Le corps d'Anastasia Nicolaevna Romanova n'a jamais été retrouvé.

La recette de la fameuse tarte au riz belge

Pour la pâte (quatre pâtons d'une tarte chacun)

4 tasses de farine
1 cuillère à thé de sel
2 œufs
3/4 de tasse de margarine
2 cuillères à soupe de beurre
2 cuillères à soupe de sucre
1 tasse de laït
1 sachet de levure de boulangerie

Réchauffer le lait puis y mélanger le beurre, le sucre et la levure. Laisser la levure se développer jusqu'à ce que le mélange mousse. Dans un grand plat, mêler la farine et le sel. Ajouter les œufs et la levure. Malaxer la pâte puis y ajouter la margarine. La pâte sera souple et ne collera pas aux doigts. Si elle colle, ajouter un peu de margarine ; si elle est trop grasse, ajouter un peu de farine. Couvrir d'un linge humide et laisser monter une heure dans un endroit tiède. Dégonfler la pâte en y enfonçant le poing puis diviser en quatre pâtons. Les boules de pâte peuvent être congelées.

Pour la garniture (une tarte)
1 litre de lait
125 grammes de riz
125 grammes de sucre
vanille, muscade
crème 35 %
1 œuf

Porter le lait à ébullition. Y ajouter le riz en pluie. Ramener à ébullition et cuire à feu doux 20 minutes. Ajouter le sucre. Repartir la cuisson jusqu'à absorption du lait. Laisser refroidir.

Pendant ce temps, prendre un pâton et le rouler jusqu'à obtenir une abaisse assez grande pour foncer un moule à tarte creux. Battre l'œuf dans un peu de crème. Ajouter ce mélange au riz. Verser le riz dans le moule. Cuire une vingtaine de minutes au four préchauffé à 180° C. Terminer en dorant la surface de la tarte au gril. Saupoudrer la tarte refroidie de sucre en poudre et servir.

Jean-Pierre Davidts

Un entrefilet lu dans un journal, il y a quelques années : des arbres mouraient. La municipalité de Montréal les avait remplacés à grands frais. Puis on s'était rendu compte qu'il y avait une main « criminelle » là-dessous. Un employé mis à pied qui voulait se venger ? Un maniaque ? Un « arbrophobe »? Le mystère planait. Il n'a jamais été éclairci. Ajoutez à cela un auteur à l'imagination galopante, quelques personnages bien typés – un garçon qui n'a pas froid aux yeux, un inspecteur plus que maladroit, un commissaire bilieux, un médecin légiste serviable et un cochon qui a du flair... Mêlez ces ingrédients avec des insomnies tenaces, quelques rames de papier, deux cartouches d'encre, cinq ou six litres de sueur, des crampes aux doigts et presto ! Telle est la recette du *Mystère de l'érable jaune*.

Dans la collection Chat de gouttière

1. *La saison de basket de Fred*, de Roger Poupart.
2. *La loutre blanche*, de Julien Lambert.
3. *Méchant samedi !*, de Daniel Laverdure.
4. *Swampou*, de Gérald Gagnon.
5. *Zapper ou ne pas zapper*, d'Henriette Major.
6. *Un chien dans un jeu de quilles*, de Carole Tremblay. Prix Boomerang 2002.
7. *Petit Gros et Grand Chapeau*, de Luc Pouliot.
8. *Lia et le secret des choses*, de Danielle Simard.
9. *Les 111 existoires d'Augustine Chesterfield*, de Chantal Landry.
10. *Zak, le fantôme*, de Alain M. Bergeron, Prix Hackmatack 2004.
11. *Le nul et la chipie*, de François Barcelo. Lauréat du Prix TD 2005.
12. *La course contre le monstre*, de Luc Pouliot.
13. *L'atlas mystérieux*, tome 1, de Diane Bergeron. Finaliste au Prix Hackmatack 2005 et 2e position au Palmarès de Communication-Jeunesse 2005.
14. *L'atlas perdu*, tome 2, de Diane Bergeron. Prix Hackmatack 2007.
15. *L'atlas détraqué*, tome 3, de Diane Bergeron.
16. *La pluie rouge* et trois autres nouvelles, de Daniel Sernine, Louis Émond et Jean-Louis Trudel.
17. *Princesse à enlever*, de Pierre-Luc Lafrance.
18. *La mèche blanche*, de Camille Bouchard. Finaliste au Prix littéraire de la ville de Qébec 2006.
19. *Le monstre de la Côte-Nord*, de Camille Bouchard.
20. *La fugue de Hugues*, de Carole Tremblay.
21. *Les dents du fleuve*, de Luc Pouliot.
22. *Tout un programme*, de Daniel Laverdure.
23. *L'étrange monsieur Singh*, de Camille Bouchard.

24. *La fatigante et le fainéant*, de François Barcelo. Prix du Gouverneur général du Canada 2007.
25. *Les vampires des montagnes*, de Camille Bouchard.
26. *Pacte de vengeance*, de Camille Bouchard.
27. *Meurtre au Salon du livre*, de David Brodeur.
28. *L'île à la dérive*, de Diane Bergeron.
29. *Trafic à New York*, de Paul Roux.
30. *La zone rouge*, de Gaël Corboz.
31. *La grande Huguette Duquette*, de Sylvain Meunier.
32. *Le mystère de l'érable jaune*, de Jean-Pierre Davidts.

Ce livre a été imprimé sur du papier Sylva enviro 100 % recyclé, traité sans chlore, accrédité Éco-Logo et fait à partir d'énergie biogaz.

Achevé d'imprimer
sur les presses de Marquis Imprimeur
en août 2008